総合判例研究叢書

商　法（4）

取締役会および代表取締役……………大隅健一郎
山口幸五郎

有　斐　閣

序

フランスにおいて、自由法学の名とともに判例の研究が異常な発達を遂げているのは、その民法典が百五十余年の齢を重ねたからだといわれている。それに比較すると、わが国の諸法典は、まだ若い。最も古いものでも、六、七十年の年月を経たに過ぎない。しかし、わが国の諸法典は、いずれも、近代的法制を全く知らなかつたところに輸入されたものである。そのことを思えば、この六十年の間に極めて重要な判例の変遷があつたであろうことは、容易に想像がつく。事実、わが国の諸法典は、それに関連する判例の研究でこれを補充しなければ、その正確な意味を理解し得ないようになつている。

判例が法源であるかどうかの理論については、今日なお議論の余地があろう。しかし、実際問題として、多くの条項が判例によつてその具体的な意義を明かにされているばかりでなく、判例によつて特殊の制度が創造されている例も、決して少くはない。判例研究の重要なことについては、何人も異議のないことであろう。

判例の創造した特殊の制度の内容を明かにするためにはもちろんのこと、判例によつて明かにされた条項の意義を探るためにも、判例の総合的な研究が必要である。同一の事項についてのすべての判決を探り、取り扱われた事実の微妙な差異に注意しながら、総合的・発展的に研究するのでなければ、判例の研究は、決して終局の目的を達することはできない。そしてそれには、時間をかけた克明な努力を必要とする。

幸なことには、わが国でも、十数年来、そうした研究の必要が感じられ、優れた成果も少くないようになつた。いまや、この成果を集め、足らざるを補ない、欠けたるを充たし、全分野にわたる研究を完成すべき時期に際会している。

かようにして、われわれは、全国の学者を動員し、すでに優れた研究のできているものについては、その補訂を乞い、まだ研究の尽されていないものについては、新たに適任者にお願いして、ここに「総合判例研究叢書」を編むことにした。第一回に発表したものは、各法域に亘る重要な問題のうち、研究成果の比較的早くでき上ると予想されるものである。これに洩れた事項でさらに重要なもののあることは、われわれもよく知つている。やがて、第二回、第三回と編集を継続して、完全な総合判例法の完成を期するつもりである。ここに、編集に当つての所信を述べ、協力される諸学者に深甚の謝意を表するとともに、同学の士の援助を願う次第である。

昭和三十一年五月

編集代表

小野清一郎　宮沢俊義

末川博　我妻栄

中川善之助

凡例

一　判例の重要なものについては判旨、事実、上告論旨等を引用し、各件毎に一連番号を附した。

二　判例年月日。巻数、頁数等を示すには、おおむね左の略号を用いた。

大判大五・一一・八民録二二・二〇七七　（大審院判決録）
（大正五年十一月八日、大審院判決、大審院民事判決録二十二輯二〇七七頁）
大判大一四・四・二三刑集四・二六二　（大審院判例集）
最判昭二二・一二・一五刑集一・一・八〇　（最高裁判所判例集）
（昭和二十二年十二月十五日、最高裁判所判決、最高裁判所刑事判例集一巻一号八〇頁）
大判昭二・一二・六新聞二七九一・一五　（法律新聞）
大判昭三・九・二〇評論一八民法五七五　（法律評論）
大判昭四・五・二二裁判例三・刑法五五　（大審院裁判例）
福岡高判昭二六・一二・一四刑集四・一四・二一一四　（高等裁判所判例集）
大阪高判昭二八・七・四下級民集四・七・九七一　（下級裁判所民事裁判例集）
最判昭二八・二・二〇行政例集四・二・二三一　（行政事件裁判例集）
名古屋高判昭二五・五・八特一〇・七〇　（高等裁判所刑事判決特報）
東京高判昭三〇・一〇・二四東京高時報六・二・民二四九　（東京高等裁判所判決時報）
札幌高決昭二九・七・二三高裁特報一・二・七一　（高等裁判所刑事裁判特報）
前橋地決昭三〇・六・三〇労民集六・四・三八九　（労働関係民事裁判例集）

その他に、例えば次のような略語を用いた。

裁判所時報＝裁　時　　家庭裁判所月報＝家裁月報

判例時報＝判　時　　判例タイムズ＝判　タ

目　次

取締役会および代表取締役

大隅健一郎
山口幸五郎

取締役会および代表取締役

大隅健一郎
山口幸五郎

はしがき

昭和二五年の改正商法（法律一六七号）は、株式会社における経営機構の合理化を目的として、従来の取締役制度に根本的な改正を加えた。そこで、取締役制度に関する改正前の判例が現行法上いかなる程度と範囲において妥当するかに関して、疑問を生ぜざるをえない。取締役制度に関する判例は質的にも量的にも改正前の商法に関するものが多いだけに、これまでの判例を綜合的に整理検討するためには、この点に関する究明がその前提とならなければならない。本稿ではまずこの点から出発し、多少の修正を必要とするにしても、旧法上の判例が基本的には現在もなおその妥当性を保持するという見解の下に、その綜合的な考察を試みた。そして商法の他の分野でもそうであるが、ここでは大審院ないし最高裁判所の判決よりも、下級審の判決の方が量的に豊富なばかりでなく考うべき多くの問題を提供しているので、煩をいとわずひろくこれをも整理考察の対象とした。

なお、周知のように株式会社の取締役制度に関するわが国の法制は、明治三二年の商法制定後、明治四四年（法律七三号）・昭和一三年（法律七二号）及び昭和二五年の改正を経て今日に至つている。そこで括弧内での条文の引用にあたつては、現行法は（商）、昭和一三年法は（前商）、それ以前は（旧商）と略称し、また引用の判旨中の旧法条文については、〈　〉内に該当現行条文を挿入し、かつ片仮名文については句読点を施した。

本稿は山口が一応執筆したのち、両人の協議によりこれを全体にわたって補正したものである。

一　取締役制度に関する判例の地位

一　旧法上の取締役制度

株式会社の取締役は三人以上あることを要する(旧商一六五、前商二五五、商二五五)。そして旧法においては、会社の業務執行は、定款に別段の定めがないときは取締役の過半数をもつて決するものとされ(旧商一六九、前商二六〇　)、取締役全員の過半数の決議によるのを原則としていた。しかし、右の過半数決議についてはその方式に関し何らの制限もなく、取締役全員の意見を徴した結果その過半数の同意があれば足り、個別的書面による同意ないし持廻り決議の方法によつても差支えなかつた(この点は判例学説の一致した見解であつた。大判昭九・一二・二七【3】、大判昭一〇・一・三〇【4】、東京控判大九・一一・二四【5】、朝高判昭四・七・二朝高判決録一六民一五七等参照)。かように会社の業務執行は取締役全員の過半数の決議をもつて決するのが原則であつたが、しかし定款をもつてすべての業務又は特定の業務につき取締役全員の同意を要するものと定めることができ(大隅・会社法論二八八)、また定款をもつて取締役会をみとめ、重要な業務については一定の日時場所において会議を開き、その出席取締役の過半数をもつて決議をなすべきものとし、同時に社長・副社長・専務取締役・常務取締役などを設けて、経常的業務をその専決に委ねても差支えなかつたのである(松本・註釈株式会社法一四一。なお高田・民商法雑誌三・一〇四八参照)。実際上も、多くの会社は定款をもつて取締役会又は 重役会の制度をみとめると同時に、社長・専務取締役などを設けていた(松本・日本会社法論二八九、田中(耕)・改正会社法概論五七三)。他方、会社代表に関しては、取締役は各自単独で会社を代表するのを原則としたが(各自代表の原則。旧商一七〇I、前商二六〇I　)、定款又は株主総会の決議をもつて、或いは取締役中とくに会社を代表すべき者(代表取締役)を定め、或いは数人の取締役が共同し（共同代表）又は取締役が支配人と共同して（混合代表）会社を代表すべき旨を定めることができ、また定款の規定にもとづき取締役の互選をもつて代表取締役を定めることも妨げないとされていた（前商二六一Ⅱ。ただし旧商一七〇Ⅰ参照）。実際上も、取締役の互選をもつて社長・専務取締役などを選定し、その者だけが会社代表権を有する旨の定款の規定を設ける例が多く見られた（松本・前掲註釈一四四）。そして代表取締役は、会社の営業に関する一切の裁判上裁判外の行為をなす権限を有し、その代表権に制限を加えても善意の第三者に対抗することをえないとされていた（旧商一七〇Ⅱ・六二ⅠⅡ：民五四、前商二六一Ⅲ・七八ⅠⅡ：民五四）。

この旧法上における取締役機関の法的構造をいかに理解すべきかは極めて困難な問題であつて、次のような二つの見解がありうる。第一は、旧法上においても業務執行機関としての取締役は合議制の機関であるとする見解である。業務執行と会社代表とは、その対象とする事務の種類を異にするものではなくして、単なる観点の相違による区別にすぎなく、同一の行為も対内的に見れば業務執行行為であり、対外的に見れば会社代表行為たりうるわけである。しかしながら、業務執行には純内部的な業務執行と対外関係を伴なう業務執行とがあり、業務執行がとくに対外関係を伴なう場合に、その行為が対外的に会社の行為と認められる関係からこれを会社代表と称するのであつて、会社代表は対内的に見れば常に同時に業務執行であるが、業務執行は必ずしも常に会社代表を伴なうわけではない。それゆえ、会社代表に関する法規整をもつて直ちに会社の執行機関たる取締役の法的構造を規定するものと解すべきではなく、むしろ基本的には会社の業務執行に関する法規整が会社の執行機関の構造を規定するものと解しなければならない。そうでなければ、会社代表の観念の生ずる余地のない純対内的な業務執行については、執行機関の法的構造を定める法規整を欠くという不合理を生ずることとなるからである。しかるに、旧法は会社の業務執行については取締役全員の過半数をもって決すべき旨を定めていたのであるから、ここでも業務執行の権限は個々の取締役にではなくして、取締役の全員に共同的に帰属しているものと解しなければならない。したがって、旧法の下にあっても、数人の取締役が各自単独で業務執行機関を構成しているのではなく、数人の取締役が全体として一個の業務執行機関を構成していたのであって、株式会社の業務執行機関は三人以上の取締役から成る合議制の機関であるとするのが、第一の見解である（松本・前掲註釈一四〇も、取締役の業務執行の原則は共同執行であるとされる）（山口・甲南論集一四・二七）。

これに対して第二の見解によれば、右の立場は会社代表に関して法が単独代表の原則を採用していたこと（旧商一七〇Ⅰ、前商二六一Ⅰ）との調和を欠くものとされる。すなわち、会社の業務執行は取締役の過半数の決議によるとの規定は、一見、業務執行につき共同執行主義をとっているかに見えるが、この解釈は商法が会社代表につき単独代表主義をとることと相容れない。会社代表も対内的に見れば常に業務執行にほかならないからである。それゆえ、法は業務執行についても単独執行主義をとり、各取締役がそれぞれ単独で業務執行機関を構成するものと解しなければならないとするのである（大隅・前掲五八、二八八）。この見解によれば、会社代表が単独代表であることとの調和ははかりえても、その反面において、会社の業務執行は取締役の過半数をもって決する旨の規定との調和に困難を感ぜざるをえない。そこでこの矛盾を調整するために、業務執行の意思決定は取締役の過半数により、その執行自体は取締役各自がこれをなすものとする解釈が相当ひろく行われていた（田中・前掲五七三、田中（誠）・新会社法論二五〇）。この見解によれば、業務執行の決定の権限は全体としての取締役に属し、取締役の全体が一つの会社機関を構成することとなり、結局第一の見解と選ぶところがないものといえる。

このように、旧法における株式会社の取締役機関の法的構造を如何に把握すべきかは理論上むずかしい問題であつたが、その点はしばらく措いて、ここにおいても会社の重要な業務の決定につき取締役の過半数の決議を要したことは法の明文の定めるところであつて（旧商一六九、前商二六〇）、その限りにおいては、会社の業務執行は取締役の全員をもつて構成する取締役会において決するものとし、明文をもつて取締役会なる合議制の機関をみとめる現行法におけると（商二六〇）多く異ならない。ただ旧法上の取締役は、定款をもつて特に取締役会の制度を設けている場合を除き、決議の方式として一定の手続により招集された会議における表決の手続を必要としない点において異なつていた。すなわち、旧法上の取締役はたとえこれを合議制の機関であると解するとしても、現行法における取締役会のごとき会議体の機関ではなかつたのである。

このように、旧法上の取締役と現行法上の取締役との間にはその法的構造において或る程度の相異が存するが、しかしその点を除けば、旧法上の取締役制度に関する判例は、現行法においてもなおその妥当性を保持するものといわなければならない。以下において、旧法上の判例を現行法上に生かして取扱い、商法改正の前後を通ずる判例の流れのうちに内在する法理を探求しようとするのも、このような理由にもとづくのである。

二　旧法における定款上の取締役会

旧法上においては、取締役会なる会議体は単に会社の定款をもつて任意に設置することをうるにとどまつていたことは上述のごとくであるが、しかし、一旦定款をもつてこれをみとめた以上は、その運営において一個の会議体として取扱われることを要するのが当然である（旧商一六九、前商二六〇にいわゆる「定款ノ別段ノ定」）。明治四五年の東京控訴院の判決は、「会議体ノ一般ノ特質ハ、会議体ヲ組織スル各会員カ互ニ意見ヲ陳述シ討議ヲ経タル後、其過半数ノ一致シタル意見ヲ以テ会議体ノ決議ト為スニ在ルヲ以テ、各会員ニ対シ其意見ヲ陳述シ決議ニ参与スルコトヲ得ヘキ機会ヲ与ヘタル後ニアラサレハ、仮令会員ノ絶対過半数ノ一致シタル意見アリトスルモ、未タ以テ有効ナル会議体ノ決議アリタルモノト謂フコトヲ得ス」として、この趣旨を明かにした（東京控判明四五・五・一八【1】）。すなわち、この判決によれば、定款上の取締役会なるものも一個の会議体であり、しかも会議体はその構成員が相互に意見を述べ討議を盡くした後その過半数の一致した意見をもつて会議体の決議とすることにその特質が存するのであるから、取締役会の決議たるがためには、取締役全員に対して取締役会議開催の通知をなし、且つその会議における討議と表決の手続を経てなされなければならないのである。

【1】（本文における引用に続いて）「上告会社ノ定款ニ取締役会ノ決議ニ依リ第二回以後ノ株金払込ノ時期ヲ定ムル旨ヲ規定シタルハ、商法第百六十九条ニ所謂定款ニ別段ノ定メヲ為シタルモノニシテ、第二回以後ノ株金払込ノ時期ハ取締役会ナル会議体ノ決議ニ依リ之ヲ定メシムルニアルモノト認メ得ラレサルニアラサルヲ以テ、右定款ノ趣旨ハ、取締役会ヲ組織スル取締役ノ全員ニ対シ各意見ヲ陳述シ決議ニ参与スルコトヲ得ヘキ機会ヲ与ヘタル後ニアラサレハ、仮令取締役ノ絶対過半数ノ意見ニシテ一致スルコトアリトスルモ、之ノミニヨリテハ未タ所謂取締役会ナル会議体ノ決議ハ有効ニ成立セストノ義ナリト解スルヲ相当トス。」

（東京控判明四五・五・一八評論一商法一二三）。

しかるに、その後に現れた大審院等の判例によれば、旧法における定款上の取締役会なるものは、会議体とはいえない程度の極めて「緩い会議体」（石井・判例民事法昭和一一年度一八四）であつて、取締役全員に対し単に意見表示の機会をさえ与えたならば、たとい若干の取締役だけが会合協議し、次いで書面若くは口頭をもつて個別的に他の取締役の同意を得るか又は欠席取締役との協定を試みてもよく、或いは持廻り決議の方法によるも差支えなく、その結果、取締役過半数の同意が得られたかぎりは、取締役会の決議としての効力をみとむべきものとしている（大判昭二・五・一〇【2】、大判昭九・一二・二七【3】、大判昭一〇・一・三〇【4】、東京控判大九・一一・二四【5】）。

【2】　「被上告会社ノ定款第二十五条ニ取締役ハ随時会議ヲ開キ会社ノ営業方針事業ノ計画其ノ他重要事項ヲ議定スト定メアルコトハ当事者間ニ争ナキ事実ニシテ、原審ハ、右定款ノ規定ハ定款所定ノ事項ニ付取締役会議ヲ開催スルコトニ付テハ商法第百六十九条ニ所謂別段ノ定メヲ為シタルニ止マリ、其ノ決議ニ際シ取締役会ナル会議体ヲ組織セシメ其ノ会議ニ出席シタル者ノミニヨリ之ヲ決定セシムルノ趣旨ニアラスシテ、寧ロ其ノ決定ハ商法第百六十九条所定ノ如ク其ノ会議ニ出席シタルト否トニ拘ラス取締役全員ニ付其ノ過半数ヲ以テ之ヲ定ムル趣旨ニ過キサルコトヲ認定シ、上告人所論ノ主張ヲ排斥シタルコト〈中略〉明瞭ナルヲ以テ、原審カ上告人ノ主張ヲ遺脱シテ裁判ヲ為シタル不法アリト云フヲ得ス。又会社ノ営業方針事業ノ計画其ノ他重要事項ニ付取締役会ナル会議体ヲ招集シ之ヲ組織シタル上、其ノ会議ニ出席シタル取締役ニシテ会社取締役全員ノ過半数ニ当ル取締役ノ意思ニ依リ之ヲ定ムト為ストキハ、取締役カ病気其ノ他ノ事故ノ為其ノ招集ニ応スルコト能ハサル場合ニ於テハ縦令決議事項ニ付其ノ意思ヲ表示シ得ル場合ニアリテモ之カ為会議体ヲ組織スルコト能ハサルニ立至リ、会社ノ業務ノ執行其ノ他ノ事項ニ付支障ヲ来スヘキハ当然ノ筋合ニシテ、斯ノ如キハ会社ノ定款ニ其ノ明記アルニアラサレハ漫ニ之ヲ認定シ得サル所ナリ。而シテ被上告

会社ノ定款第二十五条ノ規定ハ此ノ点ニ付明記シタルモノト云フヲ得サル所ニシテ、必スシモ原審認定ノ如ク解シ得ラレサルニアラサルヲ以テ、此ノ点ニ関スル所論ハ原審ノ専権行使ヲ非難スルニ帰シ論旨ハ総テ其ノ理由ナシ。〈中略〉原審ハ証拠ニ依リ所論ノ取締役二名ニ対シテハ本件取締役会招集通知ノ為サレタル事実ヲ認定シタルコト判文上明白ナルヲ以テ、右取締役ニ対シ決議事項ニ付其ノ意見ヲ表示スル機会ヲ与ヘラレタルコト自ラ明瞭ナレハ、其ノ与ヘラレタル機会ヲ利用セサリシ取締役ヲ除キ他ノ取締役カ決議事項ヲ決定スルモ苟モ総取締役ノ過半数ノ同意アリタル以上ハ其ノ決議ハ有効タルコト論ヲ俟タサルカ故ニ、其ノ決議ニ付所論ノ二名ノ取締役ノ意見ヲ徴セサリシトスルモ毫モ其ノ効力ニ消長ヲ来スヘキモノニアラサルヲ以テ、所論ハ採用スルニ足ラス。」（大判昭二・五・一〇評論一六商法三三〇）。

【3】「原判決ヲ覧ルニ、本件株金ノ払込ニ関スル所論取締役会ノ開催ニ付テハ両回共当時ノ取締役中其ノ開催ノ日時場所決議事項等ヲ予メ承認シ居タル者ニ対スル通知ハ特ニ之ヲ省略シタリシモ、其ノ他ノ取締役ニ対シテハ使者郵便若ハ電信ヲ以テ夫々議案ヲ明示シテ開催ノ日時場所ヲ通知シタルモノナルコトハ原審確定ノ事実ニシテ、該取締役会ハ所論ノ如ク通知ナクシテ行ハレタルモノニ非サルノミナラス、原判決ノ援用セル証拠ニ徴スレハ、其ノ説示スルカ如ク被上告会社ニ於ケル株金ノ払込ハ定款ノ規定上取締役ノ協議ニ依リ其ノ過半数ヲ以テ之ヲ決定シ得ヘク、而モ其ノ過半数ヲ得ルノ方法ハ必スシモ取締役カ一定ノ日時場所ニ会合スルノ要ナク、又其ノ意見ヲ表明スルニ書面電信等ノ方法ヲ採ルモ敢テ妨ケナキコトヲ推認スルニ足ルカ故ニ、所論取締役会ノ開催ニ関スル通知カ甲乙両取締役ニ夫々到達シタル後、同人等ヨリ電信ヲ以テスレハ其ノ意見ヲ表明スルニ十分ノ機会アリシコト原判決認定ノ如クナル以上、該通知ヲ目シテ無効ト為スヘキニアラサルコトハ勿論ニシテ、原審カ所論取締役ノ決議ヲ正当ト判定シタルハ固ヨリ其ノ所ナリト云フヘシ。」（大判昭九・一一・二七法学四・五〇一）。

【4】「被上告会社定款第八条ニ『第二回以後ノ株金払込ノ期日及金額ハ取締役会ニ於テ之ヲ定メ社長ヨ

リ二週間前ニ各株主ニ通知ス可シ』トアルハ、必スシモ一定ノ場所ニ集合セル出席者ノミノ多数決ニヨリテ決議スルニ非サレハ会社ノ意思ヲ絶対ニ構成シ得スト云フニハ非スシテ、所謂持廻リノ方法ニ依リテ出席セサリシ者カ同意ヲ表シ、出席者ノ意思ト合ハセ総取締役ノ過半数ノ同意トナル以上有効ノ決議トナリ、社長ハ之ニ基キ株主ニ対シ払込ノ催告ヲ為シ得ヘキモノト解スルヲ妨ケス。」（大判昭一〇・一・三〇法学四・七四三）。

【5】「被控訴会社定款ニハ其第十五条ニ株金ノ払込ハ取締役会ニ於テ決定シト規定シアレトモ、該規定自体ニ依リテハ未タ直ニ株金払込ニ付テハ一定ノ日時場所ニ会合セル取締役ノ会議体ニ於テ其出席者ノミノ多数決ニ依リ決議スルノ趣旨ナルコトヲ認メ難ク、他ニ之ヲ認メ得ヘキ証左ナキヲ以テ、該規定ノ趣旨ハ結局株金払込ハ取締役ノ協議ニ依リテ之ヲ決定スルノ趣旨ナリト解スルヲ妥当トス。然ラハ右定款ノ規定ハ商法第百六十九条ノ規定ト同趣旨ニ帰着シ、同条ニ所謂別段ノ定ニ該当セサルモノト謂ハサル可カラス。而シテ同条ニ依レハ、決議ノ方法ハ取締役ノ過半数ニ依ルヲ以テ足レリトシ、必スシモ取締役カ一定ノ日時場所ニ会合シ其場ニ於テノミ決議スルヲ必要トセス、其以外ノ手続ニ依リテモ取締役ノ賛否ヲ徴シ得ヘキモノナルコト明ナリ。〈中略〉本件ノ第二回株金払込ニ付テハ大正七年十二月十四日取締役会ニ於テ五名ノ被控訴会社取締役中三名出席シ、協議ノ結果二名ノ賛成ヲ得、其後同月二十三日ニ至リ当日欠席シタル取締役二名ノ賛成ヲ得テ都合四名ノ取締役ノ同意アリシニ依リ、之カ決議ヲ為シタルコトヲ認メ得ヘク、〈中略〉本件株金払込ノ決議ハ被控訴会社取締役ノ過半数ニ依リ決シタルモノニシテ、即チ定款第十五条及商法第百六十九条ノ規定ニ適合シ、有効ニ成立シタルモノナリト謂フヘシ。」（東京控判大九・一二・二四評論九商法八一五）。

かように、定款をもつて取締役会を設けた場合においても、取締役全員に対して意見表示の機会さえ与えたならば、決議の方式の如何に関係なくいやしくも取締役全員の過半数の同意がある以上、取締役会の決議としての効力をみとむべきであるとするのが、大審院の一般的態度であつたが（前掲【2】【3】参照）、昭和一一年五月二日の大審院判決【85】は、さらに取締役全員に対し意見表示の機会を与えなくとも、単に取締役全員の過半数にあたる同意さえ得られれば足りるとしている。しかし、この見解の不当であることは、多言を要しないところであろう（竹田・民商法雑誌四・八六四、大森・商事法判例研究一・一六六、石井・判例民事法昭和一一年度一八二）。

いずれにしても、旧法上の判例に見られた取締役会なるものは、多くは会議体というには余りにも緩い会議体であつて、会議体一般の法則に従つた決議方法さえも必要としないものと解されていた。これは主としてそれらの会社の定款の規定が不備かつ不明瞭なことに由来するのであつて、当時にあつても比較的大規模な会社の定款は、会議体としての取締役会の組織・運営に関して明瞭かつ詳細な規定を設け、その決議の方法についても出席者過半数主義を明定していたのである（高田・前掲一〇四八）。この場合においては、旧法上の取締役会と現行法上の取締役会との間には、その会議体性において本質的な相異はないといわねばならない。

二　取締役及び取締役会の意義

株式会社企業の実質的所有者は株主であるから、ほんらい株主は会社企業の支配経営権をもつわけである。しかし、その員数が多数なのを普通とする株主がみずから会社企業の経営に当ることは実際上不可能ないし不適当であつて、これを株主総会において選任する他の機関にまかせざるをえないのが物的会社としての株式会社の性質上当然であるといえる。そのためにみとめられた機関が取締役であつて、取締役は会社の業務執行機関にほかならない。

旧法上この取締役機関の法的構造を如何に把握すべきかにつき、多くの疑問が存したことは既述の通りであるが、昭和二五年の改正法は新たに取締役会の制度をみとめ、会社の業務執行は取締役会において決するものとしたから、ここでは全体としての取締役が業務執行機関を構成し、各個の取締役はこの機関の構成員たる地位を有するにすぎないものと解しなければならない。これは、改正法が株主総会の権限を縮小し取締役の権限を拡大した結果、その拡大された権限の慎重かつ適切な行使を確保するために、従来は定款上の任意的制度として設けられていたにすぎない取締役会を法律上の制度としたものたるにほかならない。この制度の下にあつては、単に取締役の多数の意見に従つて業務執行につき決定をなすというのでは足りないのであつて、必ず一定の手続に従つて会議を開き、そこにおける討議と表決とを経てその決定をしなければならないのである。その結果、業務執行の権限の属する全体としての取締役を一個の会議体の機関として把握することができ、これを取締役会（英米法における Board of Directors）と称する。そしてこの取締役会がその権限を行使するために開く会議を取締役会議（Board meeting）という。この両者は観念上区別されなければならないが、わが商法はそのいずれをも取締役会とよび、且つ主として後者についてのみ規定している。かように、全体としての取締役が取締役会として会社の機関を構成している以上、その取締役会の構成員たる個々の取締役は機関そのものではなくして、機関構成者としての地位を有するにすぎない。もとよりかかる取締役も取締役会からその権限の委譲を受けて業務執行をなすことがあるが、それは取締役会の派生的機関としてこれを行うにとどまるのである。またさらに機関構成者としての個々の取締役については、機関構成者たる取締役自体とその地位にある取締役個人とが区別され、後者を取締役員という。取締役が会社に対して特別の法律関係に立ち、取締役として各種の権利義務を有するというのは、取締役員としての資格においてのことである。

以下においては、取締役会の組織及び権限、取締役会の派生的機関たる代表取締役ないし業務執行取締役の地位について、順次検討する。

三　取締役会の構成

一　取締役の員数

（一）　取締役会は取締役の全員をもって構成される（取締役たりうる資格に関し、民事局長回答昭和三二・一〇・二五民甲二〇八八号商事法務研究八三・一〇は、株式会社は他の株式会社の取締役たりえないとする）。その取締役の員数は三人以上たることを要するが（商二五五。旧商一六五、前商二五五）、定款をもってその最高数又は最低数を定めるのが普通である。定款に取締役の員数の最高限のみの定めがある場合には、その定款上の取締役の員数は「法定最低数たる三人以上にして且つ定款所定の最高数以下の数」と定めた趣旨と解すべきである（大判昭五・七・九【6】）。したがって、この場合には、法定の最低数たる三人を欠かない以上、たとい株主総会により現実に選任せられた取締役に退任により欠員を生じても、商法第二五八条の規定は適用せられない（【6】）と同時に、かならずしもその退任取締役につき補欠選任をなすことを要しない（同旨、西本・株式会社重役論五五、大隅・園部・取締役監査役一六）。しかし、法律又は定款に定める最低数を欠くにいたったときは、遅滞なく補欠選任をしなければならない（商四九八Ⅰ18）。他方定款所定の員数を超える取締役を選任する株主総会の決議は無効である（同旨、東京控判昭一五・三・二六【16】。なお【15】参照）。

【6】「株式会社ノ定款ニ於テ取締役ヲ五名以内ト定メタル場合ハ、ソノ定款上ノ取締役ノ員数ハ三名以上五名以内ト定メタル趣旨ト解スルヲ相当トス。固ヨリ此ノ範囲内ニ於テ株主総会ハ適宜員数ヲ定メテ取締役ヲ選任シ得ヘシト雖、之カ為、選任シタルトキニ其ノ選任セラレタル員数カ定款所定ノ員数ト確定的ニ限定セラレ、爾後退任者生スル以上仮令残存取締役カ三名ヲ欠カサルモ商法第百六十七条ノ二〈現二五八条〉ニ所謂定款ニ定メタル員数ノ取締役ナキニ至リタルモノナリ、ト云フハ当ラス。抑定款中ニ右ノ如キ定メヲ為ス所以ハ、取締役ノ最大員数ヲ定メ置キテ会社ノ状況如何ニヨリ或ハ多ク或ハ少ク増減按配セシメ、従テ右ノ範囲内タル限リ即五名ナルモ四名ナルモ又三名ナルモ等シク定款ニ定メタル取締役ノ員数トスルニ妨ナカラシメンカ為ト看ルヘキナリ。然ラハ、原審カ之ト同趣旨ニ出テ、被上告会社ノ定款ニ取締役ヲ五名以内トスト定メタルハ三名以上五名以内ト解スヘク、株主総会ニ於テ一旦四名ノ取締役ヲ選任シタレハトテ其ノ後取締役中ノ一人退任スルコトニヨリ前記法条ニ所謂定款ニ定メタル員数ナキニ至リタルモノト云フヲ得スト判示セルハ正当ニシテ、之ヲ非難スル論旨ハ理由ナシ。」(大判昭五・七・九民集九・六七三)(評釈、鈴木・判例民事法昭和五年度二三一)。

取締役の欠員補充の方法に関し、大審院は、法定の員数につき二人以上の欠員があり、これを補充すべき場合においても、かならずしもその欠員全部を一個の総会において一時に補充選任することを要せず、したがつて右のうち一名のみの補欠選任を議題とする招集通知を発しても総会の招集手続に違法はないとみとめているが(大判昭一二・一・二三【7】)、法令又は定款で定めた定員制の趣旨及び現行法の採用した累積投票制度の観点からみて、かような欠員補充の方法は現在ではみとめられないとしなければならない(同旨、大浜・株式会社法講座三・一〇四六、田中(誠)・会社法二六三。反対、伊沢・註解新会社法四一九)(東京地判昭三三・一・一三商事法務研究九六・一三は、選任総会の招集通知に被選任者の員数の記載がなくとも招集手続の瑕疵とはならないとするが、疑問である)。

尤も、この判例の具体的事実におけるように、当初一名の欠員があるためその補充選任を議題とする総会招集の通知を発した後、さらに別に欠員を生じたにかかわらず、総会を開催して一人の取締役の選任決議をなした場合においては、その総会の招集手続に違法はないと解せざるをえないであろう（田中(誠)会社法二六三）。なお数名の取締役の補欠選任をなす場合にも、かならずしもどの当選者をどの退任者の補欠にあてるかを指定する必要はなく、その明示がないというだけの理由で選任決議の効力を争うことはできない（大阪控判明三七・五・四新聞二二四・二二）。

【7】「株式会社ノ取締役カ其ノ定員ニ対シ二名以上ノ欠員ヲ生シ居レル場合ニ於テモ、必ス其ノ欠員全部ヲ一ノ株主総会決議ヲ以テ一時ニ補充選任スルコトヲ要スト解スヘキ理拠アルヲ見ス。先ツ一ノ株主総会ヲ以テ欠員ノ一部ヲ補充選任シ次テ又株主総会ヲ招集シテ欠員残部ノ選任決議ヲ為スカ如キ方法ヲ採ルモ、毫モ商法第百六十五条〈現二五五条〉ノ精神ニ背馳スル所無シ。故ニ取締役ノ定員ニ二名以上ノ欠員アル株式会社ニ於テ右欠員補充選任ノ決議ヲ為ス為ノ株主総会ヲ招集スルニハ、必ス欠員取締役全部ノ選任ヲ議題トシテ招集ノ通知ヲ為スヘク、然ラサレハ招集ノ手続違法ナリト謂フヲ得サルヤ勿論ニシテ、従テ取締役一名ノ欠員アル為其ノ補充選任ヲ為スヘキコトヲ議題トシテ株主総会招集ノ通知ヲ為シタル後、更ニ数名ノ取締役ノ欠員ヲ生シタルニ拘ラス右招集ノ通知ニ基キタル総会ノ開催アリ、該総会ニ於テ一人ノ取締役選任ノ決議ヲナシタル場合ニ於テハ、何等招集手続ノ違法アルモノニ非ス。」（大判昭一三・一・二三新聞四〇九五・二〇評論二六商法一五二）。

(二)　法律又は定款所定の員数につき欠員を生じた場合において、任期満了又は辞任により退任した取締役は、新たに選任せられた取締役の就職するまで、なお取締役の権利義務を有する（商二五八Ⅰ。旧商一六七ノ二、前商二五八Ⅰ）。本条は明治四四年の改正法により新設せられたが、それ以前においても、任期満了による退任者についてはなお後任者の就職するまで取締役の権利義務を有するものと解せられた（大判五・五・五【45】）。けだし、そうでなければ「会社ノ機関ハ一時欠缺ヲ生シ、会社ハ活動ヲ為ス能ハサルノ情態ニ陥ルノ弊害ヲ生ス」るからである（【45】参照）。右のように任期満了又は辞任による退任者は新任者が就職するまでなお取締役の権利義務を有するから、取締役の辞任により定員を欠くにいたつても本条の適用がある以上、取締役会は有効に決議をなしうるが（東京控判明四五・五・二七新聞八〇四・二五参照）、同時に、かかる退任取締役には後任者選任の総会を遅滞なく招集すべき義務があるといわなければならず（大阪控判昭六・五・二三（大判昭七・二・一三の原審）民集一一・二一六参照）、かつ後任者が就職するまでの間に登記事項が生じたときにはその申請の責任を免れえない（大決大正一五年（ク）第一〇三二号商事法務研究一二・一三）。但し右の規定は、法律又は定款所定の最低数の取締役は存するが、単に株主総会により現実に選任せられた員数を欠くに至つたにすぎない場合に適用せられないことは、いうまでもない（大判昭五・七・九【6】。同旨、原審たる東京控判昭四・一〇・三〇民集九・六八五）。また退任者が取締役としての権利義務を有するのは後任者が就職するに至るまでであつて、新取締役の選任決議がなされてもいまだ就職しない間は、退任取締役において取締役の職務を執行することをうる（同旨、監査役に関する大判大一五・一一・二九評論一六商法四〇九は、「単ニ新監査役カ選任セラレ被選任者ニ対シ其当選通知ノ発セラレタル事実アルノミニテハ、未タ直チニ退任監査役ニ於テ其職務ヲ行フノ権限ナシト速断スヘカラス」と解している。なお、取締役に関する、東京地判大一〇・二・一二評論一〇商法八二参照）。右の規定は、取締役の任期満了後、後任者の選任手続が長期にわたつてなされなかつた場合でも（事案では任期満了後四年以上になる）、なおその適用をみとめられているが（監査役に関する大判昭一三・三・二九全集五・八・一七。評釈、三宅・商事法判例研究三・一七二）、本条の立法趣旨からみて疑問なしとしない（三宅・前掲一七五参照）（ただし登記の申請がなされた場合につき、民事局長通達昭和三〇・一〇・二七民甲二三〇〇号商事法務研究一二・一二は、任期満了による退任後数年を経た取締役による会社解散登記の申請は、商法二五八条一項の所謂取締役権利義務者の申請として受理せられるとする）。この規定により退任取締役がなお取締役の権利義務を有するのは、その者の任期満了又は辞任による退任により法律又は定款所定の員数を欠くに至つた場合であるが（旧商一六七ノ二対照）、例えば取締役全員が同時に辞任し、後任者の選任が行われたが、その員数がなお法律又は定款所定の員数に満たない場合においても、辞任した取締役の全員は依然として取締役の権利義務を有すると解すべきである(同旨、大浜・前掲一〇五一、西本・前掲四九。なお大決大一五・一二・一〇【10】参照)(東京高判昭三二・一一・一五ジュリスト一四七・九三【84】事件では、定款所定の取締役の員数を三名とする会社において、取締役五名中三名が辞任し、その後、残りの二名が辞任すると同時に新たな取締役一名が選任せられた場合には、右二名の取締役が、辞任後も商法二五八条により新たな取締役の選任されるまで、なお取締役の権利義務を有するとする)。この場合、取締役の職務を行うのは前任者全員と新任者とであつて、前任者のみにおいてこれを行うと解すべきではなく(同旨、西本・前掲四九。反対、法曹会決議大正一三・二・六評論一三商法五三四)、たといその結果、取締役の職務を行う者の数が定款所定の取締役の員数を超えても差支えないとするほかない(【10】参照)。

なお、右の規定により取締役の権利義務を有する者は、後任取締役の選任決議の取消訴訟においては取締役としての当事者適格を有しないとみとめられる(東京地判昭三一・二・一三【8】)。

【8】「原告等は商法第二五八条第一項により取締役の権利義務を有していたところ、同年九月七日の総会で右原告等の任期満了を理由としてその主張のような後任者を選任する決議がなされたから、右原告等はここに取締役たる権利義務を喪失したわけである。もつとも、右原告等はこの後任者選任決議の取消を訴求しているのであるが、取消の判決の確定するまでは有効な決議のあつたものとして取り扱われるべきであるから、結局右原告等は取締役の地位を有しないことに帰する。従つて、右原告等が被告会社の取締役として前記決議の取消を求める本件訴は当事者適格を欠き不適法として却下を免れない。」(東京地判昭三一・二・一三ジュリスト一〇六・六九)。

(三)　商法第二五八条第一項の適用がある場合においては、取締役退任による変更登記は、後任者が就職するまでは必ずしもこれをなす必要はなく(同旨、法曹会決議大正一五・七・六評論一六商法四二六)、退任登記申請期間も後任者の就任の承諾のあつた日から起算すれば足りると解せられる(監査役に関する東京控決大一一・一〇・五新聞二〇七三・二二)(監査役に関する法務局長通牒大正三・一三〇民一二一七号法曹記事二四・二・九四も「後任者就職ノ日ヨリ起算シテ法定期間内ニ前任者ノ退任及後任者ノ就職ニ因ル変更登記ヲ為スモ妨ケナシ」としている）。そして右の場合において、後任取締役が法律又は定款所定の員数になお満たないときは、その員数を満たす後任者全員の就職するまで変更登記（前任者の退任及び一部新任者の就任の登記）をなすべきでないとの見解があり（法曹会決議大正一三・二・六評論一三商法五三四。前任者の退任登記につき同旨、法曹会決議昭和五・六・二五評論二〇商法一二八）、実際上これに従う例も多いが（西本・前掲三〇）、大審院は、「商法第百六十七条ノ二〈現二五八条〉ハ、株式会社ノ取締役ノ任務カ終了シタル場合ニ於テ法律又ハ定款ニ定メタル員数ノ取締役ナキニ至リタル時ハ、退任シタル取締役ハ新ニ選任セラレタル取締役カ就職スル迄仍ホ取締役ノ権利義務ヲ有スルコトヲ規定シタルニ止リ、定款ニ定メタル員数ノ取締役カ新任就職スルマテハ法律上ノ退任就任ト為ラサルコトヲ定メタルモノニアラス。従テ苟モ現在ノ取締役カ退任シ新任ノ取締役カ就任シタル事実アルニ於テハ、仮令其員数カ定款ノ定ムル所ニ満タサルモ取締役ノ退任就任ニ外ナラサルヲ以テ、其変更登記ヲ為ス可キモノトス」（大決大三・五・一六新聞九四三・二九）と解している（大決大二・一二・二二【9】。新任者の就任登記に関し同旨、大決大一五・一二・一〇）。その理由は、取締役の就任・退任の登記はその資格の得喪に関する登記であり、右の規定による前任取締役の職務執行は、取締役たる資格においてこれをなしているのではなく、単に退任者としてこれを継続しているのにすぎないというにある（西本・前掲二九、三〇）。この大審院の見解は理論的には正当なように見えるが、かような取扱をするならば、実際上取締役としての権利義務を有し、したがって取締役の職務を執行している者でありながら、もはや取締役として登記されていない場合を生じ、取引の安全の見地から見て適当とはいえない。わけてもその者が代表取締役としての権利義務をも有している場合（商二六一Ⅲ・二五八Ⅰ）はそうであつて、すくなくとも取締役としての権利義務を有する者の何びとなるかを登記簿上明瞭ならしめる必要がある。したがつて、法律又は定款所定の員数をみたす後任者全員の就職をまつて初めて変更登記を行うものとするか、または前任者の退任登記は保留しつつ一部新任者のみの就任登記を行えば足りるとする方が妥当である（【10】参照）。

【9】「商法第百六十七条ノ二〈現二五八条〉及ヒ第百八十九条〈現二八〇条〉ハ、株式会社ノ取締役又ハ監査役ノ任務カ終了シタル場合ニ於テ法律又ハ定款ニ定メタル員数ノ取締役又ハ監査役ナキニ至リタルトキハ、退任シタル取締役又ハ監査役ハ新ニ選任シタル取締役又ハ監査役カ就職スルマテ仍ホ取締役又ハ監査役ノ権利義務ヲ有スルコトヲ規定シタルニ止マリ、定款ニ規定シタル員数ノ取締役又ハ監査役カ新任就職スルマテハ法律上取締役又ハ監査役ノ退任就任ト為ラサルコトヲ観ルニ由ナキヲ以テ、現任ノ取締役又ハ監査役カ退任シ新任ノ取締役又ハ監査役カ就職シタル事実アルニ於テハ、仮令其員数カ定款ノ定ムル所ニ満タサルモ取締役又ハ監査役ノ退任就任ニ外ナラスシテ其変更登記ヲ為スヘキモノナルコト論ヲ竢タス。」（大決大二・一二・一二民抄録四八・一一二九三評論二商法四三三）。

【10】「取締役就任シタル場合ニ於テハ、未タ法定数ニ達セサルトキト雖其ノ就任ナキモノト云フヲ得ス。其ノ就任ノ時ヨリ之カ登記ノ必要ヲ生スルモノトス（当院大正二年（ク）第四百十四号同年十二月十二日ノ決定参照）。而シテ新ニ就任シタル取締役即現任ノ取締役ハ法定数ニ達セス、退任シタル取締役ニシテ猶取締役ノ権利義務ヲ有スル者ヲ加フレハ定款所定ノ取締役定員ヲ超過スル場合ト雖、其ノ退任取締役ハ定款ニ所謂取締役ニハ非スシテ、現任取締役ト倶ニ非訟事件手続法第百八十八条第一項〈改正前〉ニ所謂取締役ニ該当スト解スヘキモノナルカ故ニ、取締役ノ定員ニ達セサル以前ニ於テモ既ニ就任シタル取締役ニ付テハ其ノ就任ヲ登記スヘキモノト解シテ何等所論ノ如キ不合理アルコトナシ。」（大決大一五・一二・一〇新聞二六五〇・一〇）。

（四）　法律又は定款所定の取締役の員数を欠くに至つた場合において、必要ありとみとめるときは、裁判所は利害関係人の請求により一時取締役の職務を行うべき者（仮取締役）を選任することができるが（商二五八Ⅱ、非訟一三二六Ⅰ、一三二ノ四。前商二五八Ⅱ）、選任せられた職務代行者を不適任として右の取消・変更を求めることは許されない（代表取締役の職務代行者の選任申請に関する東京高決昭三二・一一・一八東京高裁時報八・一二・二九二）（なお大浜・前掲一〇七五参照）。

二　取締役の選任

（一）　取締役は株主総会において選任する（商二五四Ⅰ。旧商一六四Ⅰ、前商二五四Ⅰ）（ただし最初の取締役、商一七〇Ⅰ、一八三）。その選任総会が定時総会たると臨時総会たるとを問わないことは、いうまでもない（同旨、名古屋控決明四〇・四・一六【11】、ただし明治四四年法による旧商一五八条の削除前の判例）。

【11】　「定時総会ハ取締役カ提出シタル書類及監査役ノ報告書ヲ調査シ且利益又ハ利息ノ配当ヲ決議ストアル商法第百五十八条〈明治四四年法により削除〉ハ、或ハ定時総会ノ決議スヘキ事項ハ本条ニ掲載シタル以外ニ渉ルコトヲ得ス其以外ノ事項ニ付テハ必ス臨時総会ニ於テ決議セサルヘカラスト解スヘキカ、或ハ同条ニ掲載シタル事項ハ必ス定時ニ開クヘキ定時総会ノ決議ヲ経ヘキモノナルモ定時総会ハ其以外ノ事項ヲ決議スヘカラサルモノニアラスト解スヘキカ、之ヲ単ニ法文ノ上ニノミ見ルトキハ文理上何レニ解釈スルモ敢テ不当ニアラサルヲ以テ法文ノミニ依著シ之カ解釈ヲ断定スルコト能ハサレハ、他ノ方面ニ向テ律意ノ在ル所ヲ探求スルヲ要スルモノタリ。乃チ今仮リニ前説ヲ採ルトキハ定時総会ノ際取締役監査役等ノ改選ヲ為サントスルモ之ヲ為シ能ハサルヲ以テ、タトヘ定時総会ニ引続キ臨時総会ヲ開会シ得ヘシトスルモ招集ノ手続開会ノ方式等ハ必ス別箇ノ手続ヲ以テスルヲ要スルモノニシテ、立法上是等ノ手続ヲ特ニ履践セシムル必要アリトセハ前説ノ解釈正鵠ヲ得タルモノナルヘシト雖モ、其手続ヲ特別ニスル必要ナル理由ナキニ於テハ徒ラニ無用ノ手続ヲ要セシムルモノニシテ採ルニ足ラサル解釈ナリト云ハサルヘカラス。而シテ我商法ハ決議ノ内容事項ニ付各決議方法ヲ規定シアリテ、臨時総会定時総会ナル区別ニ基キ何等法律上ノ効果ニ差別アルコト無ク、唯定時ニ開クモノヲ定時総会トシ臨時ニ開クモノヲ臨時総会ト名称シタルヲ見ルヘキ趣旨アルノ

ミナレハ、特別ニ繁雑ナル手続ヲ履践セサルヘカラサル前説ヲ立法上採用スヘキ正当ナル理由ハ毫モ発見スルコト能ハサルナリ。」(名古屋控決明四〇・四・一六新聞四二六・一七)。

取締役の選任は株主総会の専属的決議事項であつて、定款をもつてしても、その選任権を株主総会以外の他の機関又は第三者に委ねることは許されない。したがつて、定款所定の員数の範囲内で現任取締役に加えて追加取締役を取締役会において選任しうるとする定款の規定はもとより、退任によつて生じた欠員を取締役会において補充選任しうるとする定款の規定も無効であることは、言をまたない。また株主総会における取締役選任決議の効力を第三者の意思にかからしめる定款の規定も、株式会社の本質に反する無効のものと解すべきである(同旨、松田・鈴木・条解株式会社法上二五八)。昭和二四年の東京高等裁判所決定(【12】)も、戦争苛烈にして食糧事情の悪化した折に県内の食糧増産を図るために設立せられた会社の定款に、取締役選任等の決議につき県知事の承認を経ることを要する旨の定めがなされた事例において、次のような理由によりその定款の規定を無効とみとめている。

【12】　「相手方会社設立の趣旨に鑑み、群馬県知事が今期大戦末期に当り、相手方会社設立の上これをその統制下に置く必要上かかる規定を定款に挿入したことに思を致すときは、右定款の趣旨は取締役の選任等の株主総会の決議に対する知事の承認を以て、決議の効力発生の要件としたものと解せられる。然し法令に別段の定あるときは格別然らざる限り、株式会社において、取締役監査役の選任解任、定款の変更、利益金の処分等は株主総会の専属的決議事項であり、必ず株主総会の決議を経べきものであるが、更にその決議は株主総会の決議のみによつて決せらるべく、その効力の発生を第三者の意思に繋らしめ得ないものと解すべきである。蓋し、かかる決議の効力を第三者の意思に繋らしめるときは、法が株式会社に対し独立の人格を

附与してこれに独自の存在と利益とを認め株主総会を以てその最高の機関としてこれに取締役の選任等を専属決議事項たらしめた精神に背反するに至るからである。而して株主総会の決議を第三者の意思に繫らしめる如き規定は、原始定款を以てすると、又定款変更の方法によるとを問わず定款に定め得ないものと謂うべきである。従つて法令に何等別段の定ある場合に非ざる本件において、前記の定款の規定は株式会社の本質に反する無効のものと解すべきである。」（東京高決昭二四・一〇・三一民集二・一一・二四九）（判旨反対、石井・鴻・判例研究三・四・五三、田中（誠）・会社法二一六、二五七）。

右のように取締役の選任は株主総会の専属的決議事項であつて、定款の規定によるもその選任権を他の機関又は第三者に附与することをえないが、同様に、株主総会自身も取締役の選任を総会外の機関又は第三者に委ねることは許されない。そこで、総会がその議長又は総会内部に設けた詮衡委員等に対してこれを委ねることの可否が問題となる。もちろん、総会が議長又は詮衡委員に単に取締役たるべき候補者の指名だけを委ねることは何ら差支えなく、この場合には、その指名につき報告を受けた総会が改めてこれを取締役に選任するか否かを議決するのであつて、これもまた総会における取締役選任の一方法である（松本・前掲会社法論二八三参照）。したがつて、創立総会において発起人の一人に取締役等の指定を委任し、総会がその被指定者を承認することは、もとより差支えない（東京控判大五・七・八評論五商法六九一）（株主総会に関し同旨、名古屋地判大一四・三・一四【13】）。これに反して、取締役の選任自体を議長に委ね、これにもとづき後に議長が取締役を選任するものとなすことは許されない（同旨、東京地判昭三三・一・一三商事法務研究九六・一三（前出一四頁）。民事局長通達昭和二九・二・一八民甲三六四号登記研究七六・三四は、「株主総会において取締役の解任ならびに選任については議長に一任する旨決議され、これに基き後日議長が解任又は選任した取締役変更登記申請は受理できない」とする）。かように総会終了後に議長が取締役を選任するものとするのではなく、総会内に特に銓衡委員等を設けてこれに具体的な選定を委任し且つその選定をもつて総会での決定とする旨の決議をなすのは、形式上、総会において取締役を選任することにほかならないのであつて、かような決議の方式をとる以上その選任は有効であるとする下級審の判決があるが（名古屋地判大一四・四・二八【14】。同旨、名古屋地判大一四・三・二新報四七・二一。なお【13】参照）、問題である。実際上この場合の決議の趣旨は取締役候補者の選定を詮衡委員等に委ねるにあるものと解せられ、その意味で上述の決議も有効であるとするのであれば格別、その決議が文字通り取締役の指名を詮衡委員等に一任し、その指名した者につき総会の承認を要せず、総会も拒否権を有しない趣旨のものであるならば、かかる決議は違法といわなければならない。これと、総会後に議長が取締役の選任をなす前述の場合とを区別すべき理由はないからである。

【13】「取締役ハ株主総会ニ於テ選任セラルヘキモノナルヲ以テ、本件ニ於テ〈中略〉取締役選定ノ為ニ開カレタル委員会カ取締役タルヘキ者ノ選定ヲ委任セラレタルニ止マルトキハ、ソノ選定後株主総会ニ之ヲ報告シ株主総会ニ於テ改メテ之ヲ取締役ニ選任スルヤ否ヤヲ議決セサルヘカラサルモノニシテ、縦令被告ノ主張スルカ如ク右委員会カ株主総会ヨリ取締役ソノモノノ選任ノ全権ヲ委任セラレ居タルモノナリトスルモ、取締役選任ノ為ニ招集セラレタル株主総会ハ右委員会ニ於テ取締役カ選任セラルル迄ハ終了セサルモノト解スルヲ相当トス。」（名古屋地判大一四・三・一四新聞二四三一・五新報四九・二三）。

【14】「銓衡委員等カ大正十三年十月二十五日ノ被告銀行株主総会ニ於テ如上補欠取締役ノ銓衡ヲ委任セラレ、而シテ右委員ハ該委員等ニ於テ之ヲ銓衡シタル時ハ別ニ其選任ヲ同総会ニ附議シテ更メテ之カ決議ヲ要スルコトナク、右銓衡ニ依リテ直チニ形式上株主総会ノ席上ニ於テ選任シタルト同一効果ヲ発生スヘキ趣旨ノ下ニ為サレタルコト〈中略〉推認スルニ難カラサルヲ以テ、被告甲ノ取締役選任手続ハ正ニ商法第百六十四条第一項〈現二五四条一項〉ノ規定ニ遵ヒテ為サレタルモノト謂フヘク、其間何等違法不当ノ点アルコトナシ。蓋シ、本件ノ如ク株主総会ノ決議ヲ経可キ事項ニ付テハ必スヤ其決議ヲ要スルコト固ヨリ論ナシト雖

モ、右決議ノ方法ニ付テハ常ニ個々ノ具体的事項ヲ総会席上ニ於テ直チニ附議可決スルノ方式ヲ採ルヲ要セス、細目ニ亘リ若クハ熟議ヲ要スル事項ニ付テハ相当ナル委員会ヲ設ケテ其委員ニ之カ決定ヲ委任シ、而シテ該委員ノ決議ニ対シテハ恰モ総会席上ニテ決議シタルト同一効果ヲ伴ハシムルノ決議ヲ為スコトニ依リ、法定ノ要件ヲ充タシ得ルモノト解スルヲ相当トシ、而シテ本件ニアリテハ前認定ノ如ク如上趣旨ニ於ケル決議ノ方式ヲ採リタルヲ以テナリ。」（名古屋地判大一四・四・二八新聞二四五三・六新報四七・二二）。

取締役は株主総会において選任すべきものであるから、取締役候補者間においてなされた選任に関する約束は無効であり、何ら当事者を拘束しない（監査役に関する京都区判昭一三・九・二一【55】）。また、総会における取締役の選任決議が監査役のそれと同時に採決せられて成立した場合であつても、取締役選任の部分と監査役選任の部分とは不可分の関係にはなく、一方の部分が定款違反のため無効（事案では被選任者数が定款所定の員数を超過）であるときでも、他方の部分はそれにより影響を受けない（大判昭一五・一〇・九【15】。同旨東京控判昭一五・三・二六【16】）。なお、営業停止中の会社又は破産会社にあつても、株主総会において取締役を選任することができる（営業停止中の会社につき、東京地判昭六・三・一一新報二五〇・二四。破産手続中の会社につき、大決大四・七・二六【81】）。

【15】　「取締役及監査役ノ選任決議カ同時ニ採決セラレテ成立シタリトスルモ、取締役選任ノ部分ト監査役選任ノ部分トハ必シモ不可分離ノ関係ニ在ルモノトハ解シ難キヲ以テ、取締役選任ニ関スル部分カ取締役員数ニ関スル定款ノ規定ニ違反シタル為当然無効タルヲ免レサル場合ト雖モ、之カ為監査役選任ニ関スル部分ニ付何等無効ヲ来タス事由ノ存セサル限リ其ノ無効ヲ招来スルモノト謂フヘカラサルカ故ニ、本件株主総会ニ於ケル取締役及監査役選任ニ関スル右決議ハ、取締役選任ノ部分カ定款ノ規定ニ違反セル為当然無効ナルニ拘ラス監査役選任ノ部分ハ右無効ノ影響ヲ受クルコトナク有効ナリト解スルヲ妥当トス。」（大判昭一五・一〇・九評論三〇

商法一一五）。

【16】「昭和十三年法律第七十三号商法中改正法律第二百五十二条ニ依レハ株主総会ノ決議ノ内容カ法令又ハ定款ニ違反スル場合ニ於テハ該決議ハ法律上当然無効トシテ之カ無効確認ヲ訴求シ得ヘキコト明カナルトコロ、株式会社甲ノ定款第二十三条ニハ株主総会ハ取締役七名監査役三名ヲ選任スト規定セラレアルコトハ当事者間ニ争ナキヲ以テ、尠クトモ叙上取締役選任ノ決議ハ取締役ノ員数ニ関スル定款ノ規定ニ違反スルモノニシテ、控訴人等主張ノ如ク当然無効タルヲ免レサルヘシ。然レトモ取締役選任決議ト監査役選任決議トハ二種ノ異リタル会社意思ノ表現ニシテ両者ハ其ノ内容ニ於テ不可分離ノ関係ニ在リトハ到底認メ得サルヲ以テ、両決議カ同時ニ採決セラレタリトスルモ、控訴人等所論ノ如ク取締役ノ選任ト監査役ノ選任トヲ内容トスル一個ノ決議アリタリト解スヘキニ非スシテ、寧ロ叙上ノ決議ハ取締役選任及監査役選任ナル二種ノ異リタル会社意思ノ表現トシテ実質的ニハ二個独立ノ決議存シタルモノト解スルヲ相当トスヘキカ故ニ、取締役選任決議ノ無効ハ当然ニハ監査役選任決議ノ無効ヲ招来スヘキモノニ非ラス。」（東京控判昭一五・三・二六新聞四五七六・九評論二九商法一八七）。

(二)　古くは大審院の判例は、取締役選任行為の性質につきいわゆる単独行為説をとり、株主総会における選任決議の成立のみにより被選任者は直ちに取締役たる資格を取得し、その就任の承諾を要しないものと解していた（大決明三六・三・一四【17a】、大決明三六・八・二八【19】、名古屋控決明三五・一二・四【17】、大阪控決明四一・三・一六新聞四九四・一一、神戸地決明治四一年【18】。なお大判大一三・一二・五【24】参照）。すなわち、「株主総会ニ於ケル取締役ノ選任決議ノ効力ハ委任関係ヲ生スルモノニ非ス、故ニ其効力ハ被選任者ノ承諾ヲ待タスシテ発生スルコト勿論ナレハ」、就任の諾否にかかわらず取締役たるの責任がありとみとめた（大決明三六・三・一四前掲【17a】民録九・三〇九民抄録一六・三〇八二。同旨、名古屋控決明三五・一二・四【17】）。そして選任の登記申請期間の起算点についても、「取締役選任ノ決議ハ単独行為ナルヲ以テ、被選者ノ受諾就任ニ依テ始メテ効力ヲ生スルモノニ非スシテ、其決議ノミニ依テ選任ノ効力ヲ生シ、法定ノ期間内ニ変更登記申請ノ義務ヲ生スル」と解した（大決明三六・八・二八【19】。同旨、大阪控決明治三六年新聞一五七・一二、監査役に関し同旨、大決明三四・七・八【20】）（ただし大判明三七・一一・二四【21】参照）。

【17】　「株式会社ニ於テ株主総会ヨリ為ス取締役ノ選任若クハ取締役ヨリ為ス其辞任ハ共ニ雙面行為ニアラス単独行為ナルカ故ニ、一方ノ意思表示ニヨリ其効力ヲ発生シ敢テ当事者双方ノ意思合致ヲ俟テ後其効力ヲ発生スルモノニアラス。而シテ本件抗告人等カ〈中略〉株主総会ニ於テ取締役ニ選任セラレ既ニ其通知ヲ受ケタルコトハ〈中略〉明白ナレハ、即チ抗告人等ハ之ト同時ニ既ニ同会社取締役ノ地位ニ立チ其職責ヲ帯フルモノナレハ、抗告人等カ就任不承諾ノ通知ヲ発シタルコトヲ理由トシ取締役タルノ責任ナク選任ハ無効ナリト論スルハ其当ヲ得サルモノトス。」（名古屋控決明三五・一二・四新聞一二一・八）。

【18】　「取締役ノ選任並ニ辞任ハ共ニ一方的行為ニシテ、選任ハ会社ノ単独行為ニ依リ完全ニ効力ヲ発生シ、就任ノ際特ニ株主総会ノ合意ヲ要スヘキモノニアラス。之レ商法第百六十四条ニ取締役ハ株主中ヨリ之レヲ選任スト規定セル法文ノ解釈上一点ノ疑ヲ容レサル所ニシテ、取締役ノ就任ヲ契約ナリト説ク者ハ、商法第百六十七条〈現二五七条〉ニ取締役ハ何時ニテモ株主総会ノ決議ヲ以テ之レヲ解任スルコトヲ得ト規定セルハ法典カ契約説ヲ採リタルカ為特ニ此ノ例外的規定ヲ設ケタルモノナリト云フモ、之レ商法第百六十六条〈現二五六条〉ニ取締役ノ任期ヲ三年ト定メタル為該任期中ハ之レヲ解任スルコト能ハサルヤノ疑問ヲ生スルヲ以テ特ニ此規定ヲ設ケタルモノニシテ、之レカ為メニ法典ノ契約説ヲ採リタルモノト云フコトヲ得ス。」（神戸地決明治四一年新聞四七二・一四）。

【19】　「抗告理由ハ、株式会社ノ株主総会ニ於ケル取締役ノ選任ノ決議アルモ被選者カ受諾ノ意思ヲ表シ就任セサル限リハ変更登記ヲ申請スヘキ義務ナキニ拘ラス、原院カ抗告人ニ其職務アルモノノ如ク判定セラレタルハ違法ナリト云フニ在レトモ、〈中略—本文引用〉コトハ原院カ判定スル所ノ如シ。故ニ本抗告ハ理由ナキヲ以テ棄却スヘキモノトス。」（大決明三六・八・二八民録九・九四八民抄録一八・三四六六）。

【20】「商法第百四十一条〈現一八八条〉及ヒ第五十三条〈現六七条〉ノ規定ニ於ケル二週間ノ期間タルヤ監査役ニ当選セラレタル者ノ承諾ヲ俟テ始メテ起算ス可キモノニアラス。原院ノ解釈スル如ク其選任ハ総会ノ決議ニ依リ定マルヘキモノナレハ其選任ノ日即チ其決議ノ日ヨリ之ヲ起算ス可キヲ相当トス。又同法第百四十一条第七号〈現一八八条七号〉ニ取締役及ヒ監査役ノ氏名住所トノミアリテ其任期ヲ登記ス可キ規定ナシト雖モ、再選スレハ更ニ之ヲ登記ス可キ法意ト解釈セサルヲ得ス。何トナレハ同一ノ者カ再ヒ其監査役ニ選任セラルルモ是全ク改選ノ結果ニシテ即チ監査役ニ変更アリタルモノニ該当スレハナリ。」(大決明三四・七・八民録七・七・四〇、民抄録九・一八〇九)。

【21】「株主総会ニ於ケル取締役ノ選任ト取締役カ其選任ヲ承諾シタルヤ否ヤトハ全ク別物ニシテ、取締役ノ選任ニ因リテ直チニ被選者カ承諾ヲ与ヘタルモノト為ラス。而シテ原判決ハ甲ノ株式会社商工貯金銀行ノ取締役ト為ルコトヲ承諾セサルニ拘ハラス、被告等ニ於テ同人カ取締役就任ヲ承諾スル旨ノ承諾書一通登記変更ニ関スル同人ノ委任状一通ヲ偽造シタルコトヲ認メタルモノナレハ、商業登記上取締役カ株主総会ニ於テ選任セラル、ヤ其本人ノ承諾アルト否トヲ問ハス会社ハ之カ変更登記ヲ為スノ義務アリトスルモ、被選者カ承諾ヲ与ヘタルモノトシテ登記ヲ申請スルトキハ被告等カ刑法第二百十条第一項ノ所謂他人ノ権利義務ニ関スル証書ヲ偽造シタルコト勿論ニシテ、原判決ハ擬律錯誤ニアラス。」(大判明三七・一一・二四刑録一〇・二二八七刑抄録一二・一六二四)。

しかしながら、下級審の判決には、取締役たる資格の取得には総会の選任決議だけでは足らず、被選任者の就任の承諾が必要であるとして、いわゆる契約説をとるものが夙に存在していた(東京控決明三八・一一・二三【22】大阪控決明四〇・一一・二〇【23】)。すなわち、「会社ト取締役トノ関係ハ委任関係ナルヲ以テ、取締役タル資格ハ株主総会ニ於ケル取締役選任ノ決議ニ対シ被選任者カ承諾ノ意思ヲ表示スルニ因リテ初メテ発生スル」のであり(【22】)、「株主カ取締役トナツテ一身ヲ会社ノ事業ニ委ヌルト否トハ其人ノ随意ニシテ会社ヨリ強要セラルヘキモノニアラス。従テ株主総会選任ノ一事、則チ単独行為ノミニテハ未タ以テ取締役タルノ効果ヲ発生セサルモノトス。詳言スレハ、取締役トナルニハ株主総会ノ選任ト取締役其人ノ承諾トヲ要シ、一ノ契約成立シタル後始メテ其効果ヲ発生スルモノト解スルヲ妥当トス」【23】とみとめているのである（なお前掲【18】参照）。さきの大審院判例の見解は、選任の決議自体の効力の発生の問題と選任による被選任者の取締役資格の取得の問題とを混同しているのみならず（例えば【17 a】【19】【24】。ただし【21】参照）、たとい当時の立法において取締役は株主たることを要し（旧商一六四Ⅰ参照）、機関資格と社員資格との分化が明確化せられていなかったとはいえ、被選任者の意思の如何にかかわりなく取締役たる責任を負わしめる結果を生じ（【17 a】【17】）。到底みとめることをえないところであった。明治四四年の改正法が新たに規定を設けて、会社と取締役との間の関係は委任に関する規定に従うべき旨を明かにしたのは（旧商一六四Ⅱ。商二五四Ⅲ、前商二五四Ⅱ）、これらの判例にみられた疑義を一掃する趣旨であったとされている（松本・前掲会社法論二八五）（ただし【24】参照）。

【22】　（本文における引用に続いて）「モノナリ。本件ニ於テ抗告人ハ〈中略〉株主総会ニ於テ取締役ニ選任セラレタルモ其承諾ヲ為サヽリシコトハ第三号証ニヨリ明白ナルヲ以テ、抗告人ハ同会社ノ取締役ニアラス。然レハ抗告人ヲ同会社取締役ナリトシテ過料ニ処シタル原決定ハ失当ナリ。」（東京控決明三八・一二・二三新聞三二七・二三）。

【23】　「取締役ノ会社ニ於ケル性質ニツキテハ学説判例紛糾シテ其撥ヲ一ニセサルモ、株主ノ会社ニ対スル関係ハ均一平等ニシテ（優先株ハ例外トス）或ル株主カ他ノ株主ヨリ優等ノ待遇ヲ得サルト同時ニ特種ノ義務ヲ負担セサルハ会社法ヲ通貫スルノ原理ナルヨリ観察スルトキハ、〈後略―本文中の引用に続く〉。」（大阪控決明四〇・一一・二〇新聞四六五・二一）。

【24】　「商法第百六十四条第二項〈現二五四条三項〉ノ規定ハ明治四十四年法律第七十三号ヲ以テ追加セ

ラレタルモノニ係リ、而シテ同法律ハ同年十月一日ヨリ施行セラレタルヲ以テ、〈中略〉前掲追加規定ナキ以前ノ商法ニ於ケル株式会社ト其ノ取締役トノ関係ニ付テ按スルニ、何等ノ明文存在セスト雖、取締役ハ株主総会ノ決議ニ依リ選任セラルルモノニシテ、其ノ選任ノ決議ハ単独行為ニシテ被選任者ノ承諾ヲ俟ツコトナク其ノ効力発生スト解スルヲ相当ト為ス。然レトモ之カ為ニ取締役ハ任期満了前ニ於テハ株主総会ノ決議ヲ経ルニ非サレハ何時ニテモ自由ニ辞任スルヲ得スト解スヘキニ非サレハ、取締役カ会社ニ対シテ辞任ノ意思表示ヲ為スニ於テハ直ニ其ノ効力ヲ発生シ敢テ株主総会ノ決議ヲ要セスト謂ハサルヘカラス。蓋シ辞任ハ単独行為ナレハ其ノ性質上爾ク解スルヲ以テ最モ事宜ニ適スト認ムヘケレハナリ。然ラハ所論ノ如ク被告人ニ於テ明治四十四年二月中辞任ヲ銀行ニ申出タリトスレハ当時ノ商法ニ於テモ直ニ辞任ノ効力ヲ生スヘク、同年七月二十五日ノ株主総会ノ決議ニ依リテ始メテ辞任ノ効力ヲ生シタリト謂フヘカラス。故ニ被告人ハ右辞任ノ申出ニヨリ其ノ当時ニ於テ直ニ取締役ノ任務ヲ解除セラレタル事実ヲ認メサルヘカラス。然レトモ被告人カ取締役ノ辞任ヲ申出タル後ト雖、他ノ取締役ニ其ノ管掌事務ノ引継ヲ了シタル事迹ヲ認ムルヲ得サルヲ以テ、被告人ハ其ノ事務ニ付仍ホ善良ナル管理者ノ注意ヲ以テ之ヲ処理スヘキ任務ヲ有スト謂フヘク、従テ其ノ任務ニ背キ判示ノ如ク自己ノ利益ヲ図リ会社ニ損害ヲ生セシメタルトキハ当然背任罪成立セサルヘカラス。」（大判大一三・一二・五刑集三・八五八）（評釈、山尾・判例民事法大正一三年度五三八）。

右のようにして、現行法の下にあっては、取締役たる資格の取得につき被選任者の承諾が必要であることには疑問の余地がない。選任に伴なう変更登記の申請期間についても、就任承諾の日から起算すべきである（監査役に関する法務局長回答大正三・一・三〇法曹記事二四・二・九四も「監査役選任ノ場合ニ於ケル変更登記ノ法定期間ハ商法第百八十九条〈現二八〇条〉ニ於テ準用シタル第百六十四条第二項〈現二五四条三項〉ニ依レハ委任ニ関スル規定ニ従フヘキモノニ付、株主総会ニ於テ選任セラレタル者カ之ヲ承諾シタルニ因リテ（民法第六百四十三条参看）茲ニ始メテ其選任ノ効力ヲ生スルモノナルカ故ニ、其効力ノ生シタル日即就職ノ日ヨリ起算スルヲ相当トス」とする）。理論的に見ても、株主総会における取締役選任の決議は会社機関の設置なるいわゆる団体法上の行為（sozialrechtlicher Akt）にすぎないのであつて、被選任者が会社に対して取締役としての労務給付の義務を負うがためには、別に被選任者と会社との間にこれに関する契約（いわゆる任用契約）がなければならないはずである。したがつて、取締役の選任に、選任決議のほかに被選任者の承諾を要することは当然である。なお取締役につき別段の資格の定めがある場合においては（ただし商二五四Ⅱ参照）、その資格要件は就任承諾の時において具備すれば足り、したがつて取締役選任決議の当時には取締役たる資格を欠いていても、就任の時にこれをみたしておれば足りると解しなければならない（したがつて、監査役を取締役に選任する場合にも、その就任の承諾に先立つて監査役辞任の意思表示をなせば足りる。なお、旧法上、資格株の取得に関し同旨、名古屋地判大一四・四・二八新聞二四五三・六（前出二三頁）東京地判昭一一・五・二九新聞四〇一五・九。反対、被選資格と解する、名古屋地判大一四・三・一四新聞二四三一・五（前出二三頁））。

（三）　株主総会の決議には条件又は期限を附することができ、したがつて、例えば旧法上取締役の資格株を緩和する定款変更の仮決議と同時に取締役選任の決議をなし、後の総会における右の仮決議の承認により取締役選任の効力を生ぜしめるものとすることは、もとより有効であつた（同旨、大判昭六・一〇・一【25】、大判昭七・五・二七裁判例六民一六四、大判昭一一・六・一五民集一五・一〇五四、評釈、竹田・民商法雑誌四・一二四一、鈴木・判例民事法昭和一一年度二六五。反対、大阪控判昭六・九・二三評論二〇商法六五四）（なお右の場合、将来に向つて効力を生ずる、大判昭六・九・一民集一〇・八〇二、評釈、鈴木・判例民事法昭和六年度三三八）。同様に、現任取締役の任期中に、その任期満了により選任の効力を生ずることとして新取締役の選任決議を行うことも、それ自体としては差支えないかのようであるが、かような取締役の予選については特別の考慮を必要とする。あらかじめ予備取締役なるものを選定し、欠員あるごとに得票数の多い者から順次に取締役に就任すべき旨の定款の規定がある場合において、かかる予備取締役の選任は取締役の予選又は条件附選挙とみるほかないが、これは現在の株主総会の権限に属しない未来の取締役の選任をなすものであつて無効であるとし（監査役に関する横浜区決明三六・一一・一二【26】）、また任期満了前に予選を許すと、予選に予選を重ねる結果を生じ、任期を限定する法の趣旨を没却するにいたるから許されない、としてその効力を否定した下級審の判決があるが（監査役に関する大阪控決明三八・一一・八新聞三二二・一三）、理由のないことではない。将来において適当な選任の機会があるのにかかわらず二期或いは三期後の取締役を予選したり、同一取締役の任期を伸長する意図をもつて予めこれを次期取締役に選任しておくがごときは、任期に関する法の強行規定に違反するのみならず、株式の譲渡の自由を原則とする株式会社においては将来の株主の取締役選任権を剝奪することとなるのであつて、違法とせざるをえないのである。ただ現任取締役の任期が近く満了しようとするに際して予め後任者を選挙しておくことは、右の点からみても必ずしも不当とはなしえないのみならず、現任取締役の終任後でなければ後任者を選任しえないとすることは実際上不便であるから、前任者の任期が数日後に満了となるような場合には予選をみとめうるものと解すべきであるが、前任者の任期満了までに相当の日時が存するときは、予選の効力には疑いなきをえないであろう。その後に現れた判例は、予選自体の効力を否定しないで、ただ任期に関する法の規定を潜脱する目的をもつて行われた場合には無効であるとみとめているが（監査役に関する東京控決明四三・一一・一七新聞六九一・二三、同・東京地決明四四・二・四【27】）（なお、右の東京控決明四三・一一・一七は、予選の有効無効はそれが脱法の目的をもつて行われたか否かによつて決すべく、予選の時期が前任者の任期満了の時に接着しているかはその脱法行為なるや否やを認定すべき資料たりうるも、その期間の長短のみによつて予選の効力を判定すべきでないとする）、かかる主観的要件のみによつて予選の効力を定めることは正当とはいえなく、むしろ後任者の任期満了が間近かにせまつている場合に限り、予選の効力がみとめられるものとしなければならない。

【25】「原審ノ確定シタル事実ニ依レハ、被上告会社ハ昭和三年六月十日ノ臨時株主総会ニ於テ商法第百六

十一条第一項〈現二三九条一項〉ノ規定ニヨル普通ノ決議方法ニ依リテ、(イ)従前取締役タリシ訴外甲ノ解任及同上乙ノ辞任承認ノ決議ヲナシ、(ロ)右両名ノ補充トシテ訴外丙及丁ヲ取締役ニ選任セムトシタルモ、定款ニ取締役ノ有スヘキ株式ノ数ヲ五百株トスル定アルニ拘ラス右丙丁ノ両名ハ孰レモ百株ノ株主ナリシニヨリ、先ツ定款変更ノ仮決議トシテ取締役ノ持株ノ最少限度ヲ百株トスルコトノ決議ヲナシ、(ハ)仍チ以テ丙丁ノ両名ヲ取締役トスルコトノ決議ヲ為シタル上、同月二十七日ノ臨時株主総会ニ於テ同シク普通ノ決議方法ニ依リテ前示(ロ)ノ定款変更ノ仮決議ノ承認ノ決議ヲ為シタル所、右承認ノ決議前ニ総会ニ於テ丙丁ノ選任ヲ撤回シタルコトナク又両名ニ於テ就任ヲ拒絶シタルコトナク越ヘテ同年七月十三日ノ取締役会ニハ両名モ参加シタリト言フニアリ。而シテ叙上ノ事実関係ニ於テハ、昭和三年六月二十七日ノ承認ノ決議ノ時ヨリ前示(ロ)ノ定款ノ変更ハ其ノ効力ヲ生シ、従テ(ハ)ノ丙丁ノ選任モ亦右六月二十七日ヨリ其ノ効力ヲ生シタルモノト解スヘク、同年七月十二日ノ取締役会ニ右両名ノ参加シタルコトハ固ヨリ正当ナリトス。」(大判昭六・一〇・一 法学一・三・一三六)。

【26】 「監査役ハ商法第百六十四条第百八十九条〈現二五四条二八〇条〉ノ規定ニ依リ必ス株主総会ニ於テ直接ニ選任セラレタルモノナラサルヘカラス。然ルニ本件ニ於テ監査役ニ就任シタリト称スル甲ハ曽テ商法カ何等ノ権利資格ヲ認メタルコトナキ予備監査役ナルモノニ選挙セラレタルコトアルニ止マリ、未タ曽テ商法ノ所謂監査役トシテ之カ選任ヲ受ケタルコトナシ。而シテ会社定款第十六条ニ依レハ、役員ノ補欠ニ備フルカ為メ予メ予備監査役ナルモノヲ撰定シ欠員アル毎ニ得点数ノ多キ者ヨリ順次ニ監査役ニ就任スヘキ旨ノ規定アルモ、之カ為メ直チニ株主総会ニ於テ監査役トシテ選任ヲ受ケタルモノト云フコト能ハサルノミナラス、仮令予備監査役ナルモノノ選任ハ即チ監査役ノ選任ナリトスルモ、其選任ナルモノハ予選ニアラサレハ条件付選挙ニ外ナラス。此ノ如キハ現在ノ株主総会ノ権利ニ属セサル未来ノ監査役ノ選任ヲ為スモノニシテ全ク商法ノ認メサル所ナルヲ以テ、斯カル定款ノ規定ハ其効力ヲ有スヘキモノニアラス。蓋シ役員選挙権ナルモノハ其各選挙期ニ相当スル株主総会独リ之ヲ行フヘク、而カモ其選任ハ直チニ之カ効果ヲ生スヘ

キ状態ニ於テ行ハレサルヘカラサレハナリ。若シ夫レ商法ニ之カ禁止ノ規定ナキ故ヲ以テ現任役員ノ存在スル間ニ於テ予選若クハ条件付選任ノ名ノ下ニ数年後ニ就任スヘキ役員ノ選任ヲ為シ得ヘシトナスカ如キハ、後ニ来ルヘキ各選挙期ニ於テ株主総会カ行フヘキ権利ノ抛棄ヲ予メ許スモノニアラサレハ則チ其将来ノ選挙期ニ来ルヘキ株主ノ享有スヘキ選挙権ヲ侵奪スルモノニシテ、法律ノ精神ヲ没却スル之ヨリ甚シキハナシ。」(横浜区決明三六・一一・一一新聞一七二・一八)。

【27】「株式会社ノ監査役ヲ現任者ノ任期満了前ニ選任スルコトハ、其選任カ条件付ナルト将又期限付ナルトヲ問ハス株主総会ノ決議ノ性質上当然之レヲ許ササルノ理由ナク、又商法中監査役ノ予選ヲ絶対ニ禁止シタリト認ムヘキ規定ナキヲ以テ、其予選ハ原則トシテ有効ト解スヘク、只監査役ノ任期ニ関スル商法第百八十条〈現二七三条〉ノ制限ヲ脱セントスル目的ニ出テタル場合ニ於テハ其予選ハ無効ナリトス。」(東京地決明四四・二・四新聞六九九・二一)。

(四)　取締役が選任せられたときは、その就任の承諾の日から起算して(前掲、法務局長回答大正三・一・三〇参照)(反対、田中(誠)・会社法は承諾を得た日ではなく総会決議の日から起算すべきものとする)、本店所在地では二週間内に、支店所在地では三週間内に、その旨の登記(就任登記)をしなければならない(商一八八Ⅱ・Ⅲ・六七)。右の二週間の期間の算定については、民法第一四〇条及び第一四二条に従い、就任承諾の日は算入せず、かつ期間の末日が日曜祝日に当るときはその翌日をもつて満了する(同旨、大決大一〇・九・二九【28】、ただし、初日は選任決議のあつた日ではなく就任承諾の日と解すべきである)。なお官庁の訓示にもとづき就任の認可を申請した場合には、その申請に対する処分のあるまでに登記期間が経過しても登記懈怠の責任を生じないが、認可の必要がないとして認可申請書が返戻されたときは、その返戻の日から遅滞なく登記の申請をなすべきであるとされる(大決大八・一二・七大正八年(ク)第一六五号。同旨、大決大八・一二・六新聞一六六〇・一七は「返戻アリタル認可申請書到達ノ日ヨリ起算シテ二週間ノ法定期間存ストシ其期間内ニ本件ノ登記ヲ申請スルヲ以テ足レリトスルノ筋合ニ非ス」とする)。

また、同一人が再選重任したときも登記（重任登記）を要する（大決大六・六・二二【29】、長崎控決昭一二・一一・二五【30】。監査役に関し同旨、大決明三四・七・八【20】）。けだし、同一人の重任も改選の結果にもとづくのであつて、法律上取締役に変更があつたものというべく、したがつて登記事項中に変更を生じた場合にほかならないからである（【29】【30】参照）。なお、行政区劃の変更に伴なつて取締役の住所の表示に変更を生じたときにも、変更登記を要するとされている（大決明四〇・八・六民抄録三二・七一一八、監査役に関する大決明三九・一・二七【31】、大阪控決大一五・一〇・七評論一六商法九八、監査役に関する東京控決昭四・四・一評論一八諸法三三六、東京地決昭三・七・一〇新報一六六・一八、東京地決昭三・一一・一九評論一八諸法一八五、東京地決昭四・五・三〇評論一八諸法四一三。反対、東京地決昭二・五・二七評論一六商法四九八。なお本支店所在地の場合に関する大決明三四・二・四民抄録八・一四〇八、大判明三四・三・五新聞二七・九対照）。

【28】「商法第百四十一条〈現一八八条〉第五十三条〈現六七条〉ノ登記期間ノ計算方法ニ関シテ商法中他ニ別段ノ定ナク又商慣習法モ存セサルヲ以テ、同法第一条ニ依リ民法ヲ適用スヘキモノニシテ、会社ノ取締役変更ノ場合ニ於テ其登記ヲ為スニ付テ全期間ノ利益ヲ享ケシメサル特別ノ理由アルニ非サレハ、民法第百四十条第百四十二条ノ規定ニ従ヒ選任ノ決議アリタル日ヲ二週間ニ算入セス、又二週間ノ末日カ日曜日ニ当タルトキハ日曜日ハ登記所ノ休日ナレハ其ノ翌日ヲ以テ期間ノ満了スルモノト解スルヲ相当トス。従テ同日迄ニ登記ヲ為スニ於テハ之ヲ為スコトヲ怠リタルモノト謂フヲ得ス。」（大決大一〇・九・二九民録二七・一五五九民抄録九三・二三六一一評論一〇商法五一二）（評釈、竹田・法学論叢一二・一一七）。

【29】「同一ノ者カ任期満了ノ際取締役ニ再選セラレタルトキハ、這ハ改選ノ結果ニ他ナラサルヲ以テ、会社ヲ代表スヘキ取締役ノ定メナキ場合ト雖モ、法律上取締役ノ変更アリタルモノト云フヘク、従テ登記事項中ニ変更ヲ生シタルモノト云フヘシ。故ニ商法第百四十一条同第五十三条〈現一八八条六七条〉ニ則リ登記ヲ為スヘク、之ヲ怠リタルトキハ商法第二百六十二条ノ二〈現四九八条〉ニ依リ過料ニ処セラルルノ筋合ナルコト洵ニ明白ナリ。」（大決大六・六・二二評論六商法三九一民抄録七二・一六四四五）（評釈、松本・法学協会雑誌三六・三一三）。

【30】「株式会社ノ取締役ハ仮令再選セラレタルトキト雖任期満了ト共ニ一旦其ノ資格ヲ喪失シ再選ニ依

リテ更ニ其ノ資格ヲ取得スルモノナル故ニ、同一取締役カ再選セラレタル場合ト雖取締役ノ変更アリタルモノト謂フヘキヲ以テ、右ノ場合カ商法第百四十一条第五十三条〈現一八八条六七条〉ニ所謂登記事項中ニ変更ヲ生シタルトキトアルニ該当スルコト勿論ナレハ、其ノ後二週間内ニ右変更ノ登記ヲ為スコトヲ要スヘク、其ノ変更登記申請書ヲ受取リタル登記官吏ハ商業登記取扱手続第十九条〈現商業登記規則三〇条〉ニ則リ其ノ変更ノ登記ヲ為スト共ニ変更シタル登記事項即チ再選前ニ於ケル取締役ノ氏名ヲ朱抹スルコトヲ要スルモノトス。〈中略〉而シテ取締役カ各自会社ヲ代表スヘキ権限ヲ有スルトキハ、仮令甲取締役ニ於テ訴訟ノ局ニ当レルトキト雖他ノ取締役ハ会社ヲ代表シテ控訴ヲ提起シ得ヘク、又甲取締役カ死亡又ハ解任等ノ為会社ヲ代表スヘキ権限ヲ喪失スルモ他ニ取締役アルトキハ訴訟手続中断スヘキモノニ非サルヲ以テ（大審院民事判決録十八輯一五五頁三五八頁、二十一輯一六九一頁）、控訴会社ヲ代表シテ本件訴訟ノ局ニ当レル取締役甲死亡スルモ尚取締役乙ノ存スル以上本件訴訟手続ハ中断スルノ理ナク、本件受継申立ハ理由ナキヲ以テ原裁判所ハ之ヲ却下スヘカリシモノトス。〈中略〉昭和六年五月九日ノ株主総会ノ決議ニヨリ取締役ニ選任セラレタル甲等ハ其ノ後三年経過シタルニヨリ昭和九年五月八日任期満了シテ退任シタルモノト謂フノ外ナシ。然レトモ其ノ後何人モ控訴会社ノ取締役ニ選任セラレタル形跡存セサルヲ以テ右任期満了後甲等ハ商法第百六十七条ノ二〈現二五八条〉ニ則リ取締役ノ権利義務ヲ有シタルモノト謂フヘク、従テ本訴カ第一審ニ提起セラレタル昭和十年五月八日当時控訴会社ニハ取締役ナク単ニ取締役ノ権利義務ヲ有スル甲及乙アリタルニ過キス（二一三丁ノ戸籍抄本ニ依レハ丙ハ昭和十年五月五日死亡ス）。而シテ訴訟ノ局ニ当レル取締役ノ権利義務ヲ有スル者カ死亡スルモ仍ホ取締役ノ権利義務ヲ有スル者アルトキハ訴訟手続ハ中断スルモノニ非スト解スルヲ相当トスルヲ以テ、甲死亡スルモ乙ノ存スル以上本件訴訟手続ハ中断スルコトナシ。従テ本件控訴ハ控訴期間経過後ニ提起セラレタル不適法ノモノナルヲ以テ却下スヘキモノトス。」（長崎控決昭一二・一一・二五 評論二六民訴法四一四）。

【31】「商法第五十条〈現六三条〉ニ謂フ住所トハ生活ノ本拠ヲ指称スルモノナルコト勿論ナリト雖モ、同

法第五十三条〈現六七条〉ニ謂フ事項ノ変更中ニハ住所ノ変更ヲ含ミ、又住所ノ変更トハ独リ住所ノ土地家屋ニ移動ヲ生シタル場合ノミニ限ラス其表示即チ土地ノ名称又ハ其番号ノミニ変更ヲ生シタルトキモ亦住所ノ変更ニ外ナラス。」（大決明三九・一一・二七民抄録二八・五七七二）。

なお登記の有無によつて取締役の資格の有無を決すべきではなく（同旨、函館控判大九・八・二四評論九諸法三七三。なお、変更登記の有無に拘りなく辞任により直ちに取締役たる資格を喪失するとみとめる大判大一五・二・二四【56】参照）、取締役に選任せられた以上その登記前でも取締役の職務を執行しうることはいうまでもない（東京区判昭六・三・一七新報二六〇・二八、東京高決昭二八・六・二九【99】事件判時一一・一六参照）。また、例えば招集権限のない者の招集にかかる総会で選任せられた取締役の就任登記のように、取締役の就任の登記が真実に合致しないときは、登記の効力を生じない（大判昭一七・一・三一【32】。同旨、東京控判大九・一二・二七新聞一七五三・一七）（ただし解任された取締役の登記原因が辞任となつている場合に関する最判昭二五・六・一三【70】参照）。しかし、取締役選任総会の議事録の添附があり（非訟一八八Ⅱ参照）、その登記の申請が形式上適式である以上、たとい右の総会が招集権限のない者の招集によるものであつても、登記官吏はこれを却下しえないとされる（大決大七・一一・二五【33】）。

【32】「商業登記ハ其ノ記載内容カ事実ニ吻合シ且記載事項自体カ適法ナルトキニ限リ登記法上ノ効力ヲ有スルモノニシテ、実体法上ノ事実関係ト分離シテ何等ノ効力ヲ有スルモノニ非ス。従テ原審カ、登記簿上甲カ大正十一年十二月十五日被上告会社取締役ニ就任シタル旨ノ記載アルモ、右就任ハ招集権限ナキ乙等ノ招集シタル被上告会社株主総会ニ於ケル決議ニ基クモノナルコトヲ適法ニ証拠ニ依リ認定シ、登記簿上ノ記載カ真実ニ合セス甲ハ被上告会社ノ取締役ニ非スト判定シタルハ正当ナリ。」（大判昭一七・一・三一新聞四七六〇・二〇評論三一商法三四）。

【33】「非訟事件手続法第百五十一条ニ依レハ、登記所ハ登記申請カ同法第三編第三章ノ規定又ハ商法ノ規定ニ適セサルトキニ限リ決定ヲ以テ之ヲ却下スルコトヲ得ヘキモノトス。而シテ非訟事件手続法第百八十八条第一、二項ニ依レハ、変更登記ノ申請書ニハ登記事項ニ付キ株主総会ノ決議ヲ要スル場合ニ於テハ其決議

録ヲ添附スルコトヲ要スルモノニシテ、取締役ノ解任選任ハ株主総会ノ決議ヲ経ヘキモノナレハ、解任改選ニ基ク取締役変更ノ登記ヲ申請スルニ当リ申請書ニ株主総会ノ決議録ヲ添附セサルトキハ、登記所ハ其申請ヲ却下スヘキモノナルコト寔ニ明カナリト雖モ、苟モ其決議録カ添附セラレアリテ形式上適式ナルトキハ、登記所ハ進テ之ニ記載セラレタル決議ノ実質ニ付キ調査ヲ為シ其有効ナルヤ否ヤヲ判断スルノ職権ヲ有セサルモノナレハ、其決議カ実質上無効ナリトノ理由ヲ以テ登記ヲ拒ムコトヲ得サルモノトス。何トナレハ株主総会ノ決議カ有効ナルヤ否ヤハ困難ナル実体法上並ニ事実上ノ問題ヲ解決スルニアラサレハ容易ニ決スルコトヲ得サルコト尠カラスシテ、登記所ニ於テ之ヲ決スルニ適セサレハナリ。故ニ非訟事件手続法第百五十一条ハ登記官吏ニ形式的審査権ヲ与ヘタルニ過キスシテ斯カル実質的審査権ヲ与ヘタルモノニアラスト解スルヲ相当トス。是ヲ以テ登記官吏ハ登記申請書及ヒ添附書類カ形式上適式ニ成立シタルヤ否ヤヲ審査スルコトヲ得ルニ過キスシテ、一旦其適式ナルコトヲ判断シタル以上ハ、縦令決議録ニ記載セラレタル決議カ招集ノ権限ヲ有セサルモノノ招集シタル株主総会ノ決議ナル為メ法律上当然無効ニシテ商法第百六十三条〈現二四七条〉ノ規定ニ依ル訴ヲ竢ツヲ要セサル場合ト雖モ、登記官吏ニ於テ其無効ヲ判断スルコトヲ得サルモノトス。然ルニ原裁判所カ登記官吏ハ変更登記申請書ニ添附セル決議録ニ掲ケタル決議ノ実質上無効ナルヤ否ヤヲ審査スル職権アリト為シ、豊橋区裁判所登記官吏カ仮処分命令ニ依リ職務執行ヲ停止セラレ其後取締役ヲ解任セラレタル甲ノ招集開会シタル株主総会ノ為シタル決議ハ無効ナリト判断シ登記申請ヲ却下シタルハ相当ナリト裁判シタルハ不法ニシテ、抗告論旨ハ理由アリ。』（大決大七・一二・一五民録二四・二一八六民抄録八一・一九〇二六）。

（五）　取締役の選任決議に関しその無効又は取消の訴が提起された場合においては、本案管轄裁判所は、当事者の申立により、その職務執行の停止又は職務代行者選任の仮処分をなし、またその仮処分の変更・取消をなしうるが、急迫な事情があるときは本案繫属前でも右の仮処分をなすことができる（商二七〇、前商二七〇）。取締役選任決議の不存在確認の訴が提起された場合においても、右の仮処分をみとめた判決がある（東京地判昭三〇・七・八【34】）。この判決は、決議不存在確認の訴を認容する判決にも商法第二五二条第一〇九条第一項の規定を類推適用していわゆる対世的効力をみとむべきものとすると同時に、右の訴を本案として取締役の職務執行の停止及び職務代行者選任の仮処分をみとめているのである。法律上不存在とみとめられる決議により選任された取締役についても、その登記がなされ且つ実際上その職務権限を行う事態が生ずる以上、かかる仮処分が許されなければならないことは、決議の取消又は無効の訴の提起がある場合と異ならない。それゆえ、この場合に商法第二七〇条の規定の類推適用をみとめる判決の見解は正当といわなければならない（大隅・判例評論三・四。なお、田中・前掲会社法二六二、大浜・前掲一〇七八参照。）（本条の新設前にあっても、取締役の選任決議に違法の瑕疵がある場合において、取締役たる資格のない者によりその職務が行われること自体にその職務執行を停止すべき急迫の事情があるとみとめた判決がある、東京地判大一一・一二・一一新聞二〇八八・一九参照。なお、東京地判昭七・四・一八評論二一商法三一五参照）。取締役選任決議に関し右の各種の訴の提起がある場合において民事訴訟法の定める一般的規定（民訴七六〇、七五六）により同様の仮処分をなしうることはいうまでもないが、そこでは取締役の職務執行停止の仮処分は、当該取締役をして職務の執行を継続せしめるとその適正を欠き会社に甚大な損害を被らしめるおそれのあることが著明な場合なることを要件とすると解されていた（東京地判大一五・一〇・二九評論一六民訴法五五、東京地判昭七・七・六【37】、なお東京地判昭七・八・五新聞三四四七・五、東京地判昭七・四・一八評論二一商法三一五（前出）参照。ただし東京地判大一一・一二・一一新聞二〇八八・一九（前出）（民訴七六〇参照））。商法第二七〇条の規定による場合にももとより保全の必要の存在を要するが本案繫属後であるかぎり前述のような厳格な要件は必要でないと解すべきであろう（学説の多くは、商法二七〇条が民訴法七六〇条の要件を緩和したものであると解しているが、商法の「急迫ナル事情」を注意的規定にすぎないとし、本案繫属の前後により要件を異にしないとする見解、松田・鈴木・前掲三二六、大浜・前掲一〇七七、吉川・民商法雑誌一一・三八〇参照）（なお、選任決議には瑕疵がなく、したがって民訴法の一般規定によった場合の取締役職務執行停止の仮処分の必要性については、東京地判昭二九・五・二八下級民集五・五・七四九の具体例参照）。

【34】「債務者等は、株式会社の取締役、監査役等の職務執行停止代行者選任の仮処分は、株主総会決議

取消または決議無効確認の訴の如く、その判決の効力が第三者にも及ぶところの本案の訴を前提としてのみ許され、判決の効力が当事者間にのみ限られ第三者には及ばない決議不存在確認訴訟を本案としては許されないと主張する。しかしながら、株主総会決議不存在確認の訴の性質は、債務者等の主張するとおり通常の確認の訴であるが、株主、取締役または監査役等会社機関あるいは機関の構成員より会社を被告として提起された総会決議不存在確認の訴を認容する確定判決は商法第二百五十二条、第百九条第一項を類推し、第三者に対してもその効力を有するものと解するを相当とする。蓋し、そうでなければ、＜中略＞元来取締役、監査役および株主等に対して一体として取り扱われるべき総会決議が、訴訟に関与したかどうかでその取扱を異にすることとなる結果無用の混乱を惹起し、且つは株主平等の原則にも反する結果となり、株主間に非常なる不公平を惹起するに至るであろうからである。この点においては、株主総会決議不存在確認の訴を認容する判決は総会決議無効確認の訴を認容する判決とその軌を一にし、何等これと区別すべき理由はないのである。而して、総会ならびにその決議の存在することを前提とする決議取消の訴（商法第二百四十七条）および、決議そのものは法律上存在しないが、総会は存在することを前提とする決議無効確認の訴（同法第二百五十二条）とその類型を異にし、総会そのものの存在しないことを前提とし、これが不存在なることの確認を求める総会決議不存在確認の訴が現在の法律状態の確認を求める訴として許されることは、また多言を要しないところである。以上説明のとおり、甲＜会社＞を被告として提起する債権者等の株主総会決議不存在確認の訴を認容する確定判決は、第三者にもその効力を及ぼすものであるから、右訴を本案として右総会で甲＜会社＞の取締役、監査役に選任された、あるいは選任されたと称する債務者等の右取締役、監査役としての職務の執行を停止しその代行者を選任する如き仮処分はこれをなし得るものといわねばならない。（東京地判昭三〇・七・八昭和二九年（モ）第一〇七六三号判時五六・一一）。

株主総会の決議により選任せられた取締役の職務執行を停止し、その職務代行者を選任する仮処分がなされた場合においても、その後の総会において、会社解散の決議をなしうるは勿論（東京地判昭二九・五・七判タ五・五・五八。右仮処分は事情変更により取消すべきものとなるとする）、当該職務執行停止中の取締役を解任し、且つその後任取締役を選任する決議をなしても差支えない。けだし、株主総会は右の仮処分の趣旨若くは内容と牴触しない限りその権限に属する如何なる事項をも決議することができ、職務執行停止中の取締役を解任することは「該仮処分ト何等背馳スル所ナキノミカ却テ帰趣ヲ同ジクスルモノ」であり、その後任取締役を選任するのは「叙上ノ解任決議ニ因リ欠缺スルニ至リタル会社ノ重要機関ヲ整備スルノ必要」に出ているからである（大判昭八・六・三〇【35】。同旨、京都地判昭七・八・八評論二一商法五二六、反対、東京控判昭七・一一・一五評論二二民訴法八五）。なお、取締役の選任決議に関し当然無効の原因がある場合に、これに対して決議取消の訴（旧商一六三の訴）を提起することはもとより不適法であるが、その訴の繋属中においては、たとい相手方が右決議の無効をみとめ当該取締役が現に職務を執行していなくても、係争の権利関係は依然存在しているのであるから、取締役の職務執行停止の仮処分につきその理由が消滅し又は事情の変更があったものとはいえない（東京控判昭八・一二・一一評論二三商法三三）。これに反して、職務執行停止中の取締役を解任し後任者を選任したときは、右の総会決議が有効であるかぎり、係争の権利関係そのものが消滅し当該仮処分を存続せしむべき必要がなくなったのであるから、仮処分は事情変更を理由として取消さるべきである（大判昭八・六・三〇【35】。停止中の取締役が辞任した場合に関し同旨、東京地判昭三〇・四・二五下級民集六・四・八三三。評釈、谷川・ジュリスト一五七・七〇。任期満了により退任した場合に関し同旨、有限会社の取締役に関する東京高判昭三三・四・一〇金融法務事情一七四・四）。右の総会の決議に違法の瑕疵が存在している場合にもなお仮処分の取消原因たりうるかは問題であるが、その瑕疵が決議の当然無効の原因たる瑕疵である場合は別として、単に決議取消の原因たる瑕疵にすぎないときは、たとい現に決議取消の訴が提起されていても、それだけでは当該決議を直ちに無効として取扱い、その無効を前提とする法律関係を是認することはできないのであるから、やはり仮処分は取消さるべきものと解すべきであろう（同旨、東京地判昭二八・一二・一一【36】）。しかし、仮処分はその取消原因の発生により当然に効力を失うものではなく（大判昭八・六・三〇【35】、東京地判大一五・一〇・二九評論一六民訴法五五（前出三八頁）、東京地判昭七・七・六【37】）、したがって、総会が職務執行停止中の取締役を解任し後任取締役を選任しても、その取消のあるまでは職務代行者の権限は消滅せず（東京控判大一二・七・三新聞二一九三・一二、東京地判昭七・七・六【37】）（反対、石井・判例民事法昭和八年度四五五は、この場合には当然に消滅するとされる）、かつ取締役の職務は専らその代行者において執行すべきものとされる【35】（なお東京地判昭六・二・一七評論二〇商法三〇九では、取締役改選の決議が二重になされ、一方の改選と同時に本店移転を決議し登記したため、他方の選任登記をなしえないという事情にある場合には、当該取締役の改選により代行者の権限は消滅するものでないとする）。なお、代表取締役の職務執行停止又は代行者選任の仮処分中においても、株主には当該取締役の代表取締役たる資格の不存在の確認を求める利益がある（東京地判昭二八・六・一九【106】）。

【35】　「所論仮処分ノ趣旨ハ、是唯叙上ノ如ク昭和六年十二月二十八日ニ開催セラレタル臨時株主総会ノ選任セル取締役竝監査役ニ対シテ其ノ職務ノ執行ヲ停止スルト共ニ之カ代行者ヲ選任シタルモノタルニ止リ、昭和七年二月六日ニ招集セラレタル臨時株主総会ノ決議ヲ制限若ハ禁止シタルニアラサルコト自ラ明白ナルカ故ニ、右臨時株主総会ハ所論仮処分ノ趣旨若ハ内容ト牴触セサル以上株主総会ノ権限ニ属スル如何ナル事項ニ付テモ決議シ得ヘキモノナルコトハ勿論ナルト同時ニ、其ノ前任取締役竝監査役ヲ解任シタルハ右ノ仮処分ニ依リ職務執行ノ停止中ナリシ取締役竝監査役ヲ罷免シタルニ外ナラサルヲ以テ、該仮処分ト何等背馳スル所ナキノミカ却テ帰趨ヲ同シクスルモノト謂フヲ得ヘク、又其ノ新ニ取締役竝監査役ヲ選任シタルハ叙上ノ解任決議ニ因リ欠缺スルニ至リタル会社ノ重要機関ヲ整備スルノ必要ニ出テタルモノナルコトハ自明ノコトニ属シ、所論仮処分ノ禁止スル所ニアラサルハ固ヨリ言ヲ竢タス。唯右仮処分ハ取消其ノ他一定

ノ原因アルニアラサレハ当然効力ヲ失フモノニアラサルカ故ニ、前示株主総会ノ決議ニ因リ新ニ選任セラレタル取締役並監査役カ其ノ就職ヲ承諾スルトキハ該仮処分ニ基ク職務代行者ト対立競合スルノ結果トナルヲ免レサルカ如キモ、右ノ代行者ハ新取締役並新監査役ノ選任ニ因リ最早ヤ存続スルノ必要ナキニ至リタルモノナルヲ以テ所論仮処分ハ民事訴訟法第七百五十六条第七百四十七条ノ規定ニ従ヒ事情ノ変更ヲ理由トシテ取消サルヘキモノニシテ、敍上ノ如キ職務ノ代行ハ単ニ仮処分カ取消サルル迄ノ間ノ一時的現象ニ過キサルノミナラス、該仮処分ノ取消サレサル限リ取締役若ハ監査役ノ職務ハ専ラ其ノ代行者ニ於テ之ヲ執行スヘキモノト解スヘキカ故ニ、両者ノ間ニ必スシモ牴触ヲ来スヘキモノト速断スヘキニアラス。」（大判昭八・六・三〇民集一二・一七二一評論二二商法四五三新聞三五七六・九）（評釈、石井・判例民事法昭和八年度四五一）。

【36】　「申立人等主張の甲株式会社の右総会決議のうち最後のものである昭和二十八年十月二十日の総会における取締役及び監査役の各解任及び選任決議が有効のものである限り、本件仮処分により職務執行を停止された取締役及び監査役を含む従前の取締役及び監査役は解任され、その地位を主張して職務の執行をすべき係争の権利関係自体が消滅し、新に選任された取締役及監査役においてその任に当るべきものであるから、も早前記仮処分を存続するのは不当に帰するものというべきところ、被申立人等は、右総会決議は総会の招集手続にかしがあり出席株主数が法定の定足数に欠け、従つて違法なもので、取消すべきものであると主張する。しかし、総会決議に取消事由にあたるかしがあるというだけでは、同決議を直ちに無効として取り扱い、その無効を前提とする法律関係を是認することができない。他に同決議が法律上の不存在であること又は無効であることの事由について主張がないので、同決議の効力を否定し得ないものというの外なく、本件仮処分はも早その存続を許すべきでないといわなければならない。尤も右総会決議取消の訴が被申立人等から提起され、当裁判所に現に係属中であることは当裁判所に顕著であつて、同訴訟において右決議が将来取消される場合に生ずることのあるべき損害を防止するため、新に保全処分を必要とする事由の発生するこ

とも考えられるが、この事由は、既に発せられた本件仮処分を必要とする事由とは全く別個のものであるから、前記保全処分を必要とする場合があり得ることは本件仮処分を存続させる理由とはならない。」(東京地判昭二八・一二・一二下級民集四・一八六五)。

【37】「仮処分ニヨリ取締役又ハ監査役ノ職務執行ヲ停止シ第三者ヲシテ其職務代行ヲ命スルハ、取締役又ハ監査役タル資格ノ得喪ニ付争ヲ生シタル場合、該権利関係ノ確定ニ至ル迄当該取締役又ハ監査役ヲシテ職務執行ヲ継続セシムルハ其適正ヲ欠キ会社ニ於テ甚大ナル損害ヲ被ル虞アルコトノ著名ナル場合一時ノ便宜処分トシテ之ヲ為スモノナレハ、爾後係争権利関係ノ消滅スルカ又ハ取締役又ハ監査役ノ選任アリタルトキハ仮処分ヲ為スニ至リタル理由消滅シ仮処分ヲ存続セシムヘキ必要ナキニ至リタルモノナレハ、仮処分取消ノ原因タルコトヲ得ルモ、之カ為メ仮処分命令モ当然消滅スルモノト解スルヲ得サルヘク、従テ右仮処分ノ取消サレタルコトノ立証ナキ本件ニアリテハ、前段説示ノ事由ニヨリテ直チニ前記甲ノ代行権限ハ喪失シタルモノト謂フヲ得サルノミナラス〈後略〉。」(東京地判昭七・七・六評論二一商八七八)。

職務執行停止の仮処分は、仮処分手続の当事者間のみならず第三者に対する関係においてもその効力を有し(本案訴訟の被告たる会社を除外し、当該取締役のみを被申請人としても差支えない、清算人に関する大判大一三・九・二六民集三・四七〇、選任決議取消の訴を本案とする)、仮処分を受けた取締役は申請人以外の者に対する関係においても、職務を執行しえない(清算人に関する大判昭六・一二・二三民集一〇・八二、設立無効の訴を本案とする)。したがつて、当該取締役は取締役会に出席して決議に加わりえないのはもとより、株主総会への出席・取締役会の招集・取締役としての各種の会社法上の訴の提起なども許されない(同旨、大隅・園部・前掲五四)。のみならず、取締役の選任決議の無効又は取消を本案としてなされる職務執行停止の仮処分においては、取締役たる資格そのものの得喪が中核となつているのであるから、単に取締役としての職務の執行が停止されるのみならず、その資格を前提として有する一切の職務の執行も停止されざるをえない。したがつて、代表取締役たる取締役は、右の仮処分を受けることにより代表取締役としての職務についてもその執行を停止せられ、会社代表行為もなしえない（同旨、大隅・園部・前掲五四。民事局長通達昭和二九・一二・一〇民甲二四六二号は、代表取締役に対する取締役の職務執行停止・同代行者選任の仮処分があつた場合は、代表取締役の職務代行者が選任されないでも、右仮処分の登記を受理して差支えないとする）（旧法時代の判例である大判昭六・一二・一五法学一上・五二四も、職務執行停止の仮処分を受けた取締役は会社を代表して訴訟行為をなしえないとみとめている）。同様に、代表取締役以外の業務執行取締役も右の仮処分を受けることにより、業務執行取締役としての職務の執行をも停止せられるが、使用人たる地位を兼ねている取締役が使用人たる資格で行う職務の執行は停止されないものと解しなければならない。

右の仮処分により選任せられた職務代行者は、仮処分中に別段の定めのある場合を除き、会社の常務に属しない行為をなしえず（商二七一、前商二七二）、取締役会の決議に加わりうる範囲も常務に属する事項に制限せられる（大浜・前掲一〇七九）（新株発行・社債募集・臨時総会の招集・自己取引の承認などに関する決議には加わりえない）。なお、職務代行者が不適任のときは、裁判所が職権をもつて選任を取消し適任者を新たに任命できるのであつて、民事訴訟法第七五六条・第七四七条により改任を求めることはできないものとされる（東京地判昭三〇・七・八昭和二九年（モ）第一〇七六五号判時五六・一五）。また、職務代行者に対する報酬額を定めるについては民事訴訟法第五五四条及び民事訴訟費用法第一六条を準用して決定すべきであるが（大決昭一五・三・二〇【38】。本件では会社も被申請人に加えられ、会社に代行者の報酬が負担せしめられた）、その根拠は職務代行者に対する報酬等が仮処分の執行費用たる性質を有することにある。尤も、一面、会社は代行取締役により本来の取締役がなすべき職務の執行を受けているのであるから、その対価として報酬の支払をなすべき義務があり、会社がこれを支払つたときは、不当利得として仮処分申請者に請求しえないとされる（大判昭一五・五・二【39】、大阪控判昭一四・九・一三

【40】。本件では、会社は仮処分当事者でなく、且つ本案判決で勝訴した）（反対、吉川・民商法雑誌一一・五六九）。しかし最近の判決には、仮処分の執行費用たる以上、仮処分当事者でない会社に支払義務はないとするものがある（東京高決昭三二・九・一六【41】）（なお、吉川・前掲民商法雑誌一一・五六九参照）。

【38】「本件抗告ハ、大分地方裁判所カ抗告人甲自動車株式会社ヨリ仮処分ニヨル同会社ノ取締役職務代行者乙ニ対シ支払ヲ為スヘキ昭和十二年七月十六日ヨリ昭和十三年八月三十一日迄ノ報酬並立替金ヲ金九百円ト定ムル旨同年九月二日決定ヲ為シ、該決定ハ抗告人等ニ対シ同月七日送達セラレ、抗告人等ハ更ニ長崎控訴院ニ対シ同月十三日抗告ノ申立ヲ為シタル処抗告棄却ノ決定ヲ受ケ、当院ニ再抗告ヲ為シタルモノトス。仍テ先ツ抗告ノ適否ヲ案スルニ、仮処分決定ニヨリ或ル取締役ノ職務執行ヲ停止シ其ノ停止中取締役ノ職務ヲ代行セシムヘキ者ヲ定メタル場合、代行者カ右仮処分ノ効力トシテ取締役ノ職務ヲ執ルハ仮処分決定ノ執行ニ外ナラスト謂フ可シ。従ツテ裁判所ニ於テ代行者ノ報酬額等ヲ定ムルニ付テハ強制執行ニ関スル民事訴訟法第五百五十四条民事訴訟費用法第十六条等ヲ準用シテ之ヲ為スヘキモノト解スヘキモノナルヲ以テ、右決定ハ民事訴訟法第五百五十八条ニ所謂強制執行ノ手続ニ於テ口頭弁論ヲ経スシテ為スコトヲ得ル裁判ト謂フヘキモノナルカ故ニ、之ニ対スル不服ノ申立ハ即時抗告ニヨルヘキモノトス。然ルニ原決定正本ノ郵便送達報告書ニヨレハ抗告人等カ其ノ送達ヲ受ケタルハ昭和十三年十一月一日ナルコト明カナルニ拘ラス、抗告人等ハ同日ヨリ一週間ノ不変期間ヲ経過シタル後同年同月十六日ニ至リ再抗告ノ申立ヲ為シタルコト記録上明白ナルヲ以テ、本件抗告ハ不適法タルヲ免カレス。」（大決昭一五・三・二〇 民集一九・六二五）（評釈、村松・民商法雑誌一二・七〇七、菊井・判例民事法昭和一五年度一四二）。

【39】「本件ノ如キ仮処分ニ依リ選任セラレタル代行取締役及監査役ニ対シテ与フル報酬ハ当該仮処分ノ執行ニ必要ナル費用ニシテ其ノ執行費用ニ属スルモノナリト雖、一面仮処分ノ当事者ニ非サル上告会社ハ代行取締役及監査役ニ依リ本来ノ取締役及監査役カ為スヘキ職務執行ヲ受ケタル対価トシテ之カ支給ヲ為ス義務アルモノナレハ、上告会社カ本件代行取締役及監査役ニ対シ其ノ主張ノ如キ報酬ヲ支払ヒタレハトテ其ノ当然ノ義務ヲ遂行シタルニ過キスシテ、本案訴訟ニ於ケル敗訴判決確定シタルニ拘ラス仮処分申請人タル被

上告人等ニ於テ其ノ支払義務ヲ負フノ要ナキモノトス。然レハ上告人ヨリ右ノ如キ報酬ノ支払ヲ為シタル結果被上告人等ニ法律上ノ原因ナクシテ其ノ支払ヲ免レタルニ基ク不当利得アリトシテ、被上告人等ニ右報酬ニ相当スル金員ノ返還ヲ求ムル上告人ノ請求ハ失当ナリ。」(大判昭一五・五・一法学九・一一五四)。

【40】「控訴人ハ、前掲各請求原因ニ基ク損害賠償ノ請求カ失当ナリトスルモ、前示仮処分決定ニ依リ選任セラレタル代行取締役及監査役ニ給付スヘキ報酬ハ該仮処分ノ執行費用ニ属シ仮処分申請人タル被控訴人等ヨリ仮処分裁判所ニ予納スルヲ要シ、後日本案訴訟終結シ被控訴人等敗訴ノ場合ニハ該予納金ヲ以テ右費用ノ支弁ヲ為サシムヘキモノニシテ当該会社ノ負担タラシムヘキニ非ス、然ルニ右仮処分ノ本案訴訟タル前示決議無効ノ訴訟ハ被控訴人等ノ敗訴ニ帰シ判決確定シタルヲ以テ被控訴人等ニ於テ右報酬ノ支払義務ヲ負担スルニ至リタルニ拘ラス、被控訴人等ハ前掲予納ヲ為シ居ラス仮処分当事者ニ非サル控訴会社ヨリ右代行重役ニ合計金三千百円ノ報酬ヲ支払ヒタル結果、被控訴人等ハ法律上ノ原因ナクシテ仮処分ノ執行費用ノ支払ヲ免レタルヲ以テ、控訴人ニ対シ右不当利得金ノ返還ヲ為スヘキ義務アル旨主張スルヲ以テ按スルニ、仮処分ニ於ケル代行取締役及監査役ニ対シ与フル報酬ハ該仮処分ノ執行ニ必要ナル費用ニシテ其ノ執行費用ニ属スト雖、該会社ハ代行取締役及監査役ニ依リ本来ノ取締役及監査役カ為スヘキ職務ノ執行ヲ受ケタル対価トシテ之カ支給ヲ為ス義務アルコト当然ナルヲ以テ、右報酬ハ本案訴訟ノ敗訴者タル仮処分当事者ノ負担タラシムルヲ得ス。従テ控訴会社カ代行取締役並監査役ニ対シ其ノ主張ノ如キ金円ヲ支払ヒタレハトテ是レ固ヨリ其ノ当然ノ義務ヲ遂行シタルモノニ過キスシテ、本案訴訟ニ於ケル敗訴確定ニ拘ラス仮処分申請人タル被控訴人等ニ於テ何等其ノ支払義務ヲ負担スルモノニ非ス。然ラハ被控訴人等カ法律上ノ原因ナクシテ右報酬金ニ相当スル不当利得ヲ為シタルコトヲ前提トシテ之カ返還ヲ求ムル控訴人ノ請求モ亦到底排斥ヲ免レサルモノト謂ハサルヘカラス。」(大阪控判昭一四・九・一三評論二八民訴法四五九新聞四四七七・一二)(判旨反対、吉川・民商法雑誌一一・五六九)。

【41】「仮処分により選任された取締役職務代行者の報酬につき何人がその支払義務を負担すべきかは、特別規定がないため問題とされているところであるが、凡そ代行者の職務執行はひつきよう仮処分決定の執

行に外ならないし、従つてその報酬も仮処分の執行費用たる性質をもつものと解すべきであるから、民事訴訟法第五五四条により原則として仮処分債務者の負担たるべきものといわなければならない。代行者の執行する職務自体は固より会社の職務に外ならないけれども、特別規定のない限り、この一事を以て会社に仮処分の執行費用たる代行者の報酬支払義務ありとなすべき根拠とすることはできない。しからば本件仮処分の当事者でない抗告会社に代行者の報酬支払を命じた原決定は失当であるというべきである。而して、これに対する不服申立は民事訴訟法第五五八条により即時抗告によるべきである。」(東京高決昭三二・九・一六 民集一〇・七・四四六)。

なお、取締役の選任決議の不存在による無効の確認を求める訴において、選任せられた取締役が辞任し後任者が就任したときには、もはや当該選任決議の無効確認を求める法律上の利益は存在しないとされる(東京地判昭三二・一一・一【42】)。けだし、選任せられた取締役が辞任し後任者が就任したときは、現在その者はもはや取締役でないのみならず、商法第二五八条第一項による取締役としての権利義務すら有していないからである。そしてかような総会決議の不存在を理由にその無効の確認を求める訴訟は、判決もみとめているように、もとより形成訴訟ではなく、したがつて選任決議の不存在による無効は他の訴訟における抗弁としても当然に主張することをうる。それゆえ、右の取締役が会社の代表者としてなした法律行為の効力を争うための前提として選任決議の無効を確認する判決を得ておく必要も存しないのである。しかし、決議の内容が法令又は定款に違反することを理由とする決議無効の確認を求める訴の場合(商二五二)においては、その訴の性質を形成訴訟と解するか否かによつて結論を異にせざるをえない。なお取締役会における代表取締役の選任及び解任の決議が無効であることの確認を求める訴において、その後の取締役会において右の代表取締役を解任し、その解任された者を新たに選任する決議があつた場合にも、右に述べたと同様の問題を生ずる（東京地判昭三〇・一〇・二四【105】参照）。

【42】「現在、右両名は、最早取締役でないのみならず、商法二五八条一項による一時的な取締役としての権利義務すら有していないのであるから、右両名が取締役に選任せられたときの株主総会決議の無効確認を求める原告の請求はその法律上の利益を欠くものといわなければならない。しかるに、原告は、現在においても、右両名が取締役兼代表取締役として登記されていた間同会社の代表者として為した各種法律行為の効力を争うために、その前提として右両名の取締役選任決議の無効を確認する判決を得る必要があり、これが本訴における法律上の利益を成すものであると主張するが、そもそも株主総会の決議が存在しないことを理由にその無効の確認を求める訴訟（実務上しばしば決議不存在確認とよばれる訴訟）は、その勝訴の判決が確定することによつてのみ決議の失効の効果が形成されるいわゆる形成訴訟とは解し難いから、その決議の無効なること、したがつてこれを本件についていえば、上記両名が取締役に選任せられた株主総会の決議が無効であるということは、あえてその旨の確定判決を俟つまでもなく、他の訴訟における攻撃防禦の方法としても主張し得るところと解せられるので、原告の右主張は結局採用し難い。」（東京地判昭三二・一一・一 判時一三九・五五）。

（六）　取締役の任期は二年を超えることができないが（商二五六Ⅰ。ただし最初の取締役の任期は一年をもつて限度とする、商二五六Ⅱ）、もとより重任を妨げない。任期の起算点は就任の時であるが、特に取締役の選任につき行政官庁の認可を要する場合には、その認可のときから起算する（長崎控決昭七・五・六 新聞三四一四・一三）。最初の取締役の任期の起算点につき、古い判例は、創立総会において選任せられた取締役の任期は、会社が設立の免許を得て成立し発起人より事務の引継を受けたときから起算すべきものと解した（大判明三七・六・二四【43】）。そうでなければ、取締役選任の創立総会に甚しく後れて設立免許が与えられる場合には、その取締役は「会社ノ機関トシテ何等ノ用ヲ為ササル間ニ既ニ其任期満了スルカ如キ奇観」を生ずるにいたるからというのである。この判例では、取締役の本来の職務は会社成立の時から開始されることが前提とされているが、取締役が発起人から事務の引継を受けその本来の職務を遂行する時期が会社成立の時と解するかぎり（なお【54】参照）、最初の取締役の任期は会社成立の時を始期としなければならないであろう（同旨、福岡高決昭三二・一一・二八民集一〇・一〇・五五九判時一三七・二四）（成立時説が多いが、就任時説にも有力な根拠がある、大隅・全訂会社法論上一八〇、岩本・法学論集三・一六七）。

【43】「取締役ハ株式会社ノ機関ナルカ故ニ会社ノ成立セサル以前ニ独リ此ノ機関ノミ存立ス可キ理ナク、本件ハ旧商法時代ノ設立ノルニ付同法ノ規定ヲ見ルニ、同法第百六十五条ニ依リ取締役ハ創業総会ニ於テ選任セラルルモノナレハ、其選定ハ会社ノ成立前ナリト雖モ、取締役カ会社ノ機関トシテ活動スルニハ会社設立ノ免許ヲ得而シテ発起人ヨリ事務ノ引継ヲ受ケタル時（同法第百六十七条）ヨリ始マルモノニシテ、其任期ノ如キモ此時ヨリ起算ス可キヤ勿論ナリトス。若シ然ラスシテ上告人所論ノ如クスルトキハ、取締役カ創業総会ニ於テ其任期例ヘハ一年若クハ二年ヲ以テ選定セラレ会社設立ノ免許ハ取締役ヲ選定シタル創業総会ヨリ一年若クハ二年後ニ至リ得タリトセン歟、其取締役ハ会社ノ機関トシテ何等ノ用ヲ為ササル間ニ既ニ其任期満了スルカ如キ奇観ヲ呈スルニ至ルモノニシテ、此ノ如キハ法ノ精神ニ非サルナリ。」（大判明三七・六・二四民録一〇・八八九）。

任期の満了によって取締役たる資格は当然に消滅するが（同旨、長崎控決明三九・八・二四新聞三八七・一三）、任期満了に際して再選され重任した場合にも、取締役の資格は任期の満了により一旦消滅し、再任により再びその資格を取得するのであって、任期の伸長と同視すべきでないことは、いうまでもない（宮城控判明四二・五・一七【114】、長崎控決昭一二・一一・二五【30】参照）。なおこの場合、同一人が重任してもその資格においては新たに選任せられたのと異ならないから、すでに会社につき繋属中の訴訟手続は、たとい取締役全員が再選重任せられたときも、任期の満了ともに中断するとも解しえないではなく、かように解する判例も多く見られたが（大判明四一・六・九【112】、大判明四二・二・一六【113】、宮城控判明四二・五・一七【114】）、従来の代表取締役が再び代表取締役に選任せられたときは、その代表取締役は「前後ヲ通シテ代理権ヲ有スルモノ」であるから、この場合には訴訟手続の中断を生じないと解すべきである（同旨、大判（連合部）大六・三・九【115】）（なお一二六、一二七頁参照）。また取締役の任期が定款によりその任期中の最終の決算期に関する定時総会の終結に至るまで伸長せられている場合において（商二五六Ⅲ、前商二五六但書、旧商一六六但書）、右の定時総会が所定の時期に開かれなかつたときは、任期を限定する法の趣旨からみて任期はこれにより伸長せられないものと解しなければならない（同旨、横浜地決昭三一・八・一三【44】）。なお商法第二五六条第三項（前商二五六但書、旧商一六六但書）及び第二五八条（前商二五八、旧商一六七ノ二）の規定を欠いた明治四四年の商法改正前においても、取締役の任期満了後になつても総会がこれを改選しないときは、もし前任者による職務の執行が禁止されるならば「会社ノ機関ハ一時欠缺ヲ生シ、会社ハ活動ヲ為ス能ハサルノ情態ニ陥ルノ弊害ヲ生ス」るから、任期を限定する法の規定はこれを禁止するものではなく、前任者は後任者の就職するまでなお取締役の権利義務を有すると解せられている（大判大五・五・五【45】）（尤も右の判決は、任期満了による退任により法律・定款所定の員数を欠くに至る場合なることを前提としている。なお当判例につき田中・前掲会社法二六四参照）。

【44】「しかしながら右定款の規定によれば定時総会は毎年決算期後六〇日以内即ち毎年五月三〇日までにこれを招集することを要すると定められているのであつて、これを徒過して定時総会が開催されない場合、何時までも右役員等の任期が伸長されるものとすれば、法律を以て株式会社の取締役、監査役の任期を制限した趣旨は全うせられないものというべきであるから、商法第二五六条第三項の定時総会の終結まで任期が伸長せられるという意味は通常の場合を予想して所定の時期に招集せられる定時総会の終了までと解すべきである。本件について定時総会が所定の時期に招集せられなかつたことについて然るべき事情があつたとし

ても右事情は代表取締役（職務代行者）の商法第二三四条による総会招集義務違反の責任についてのみ考慮せらるべきであつて、取締役、監査役の任期はこれによつて伸長せられないものと解すべきである。しからば被申請会社の取締役、監査役についてはその任期は全然伸長せられる余地なく、昭和三一年六月一六日及び昭和三〇年六月一六日にそれぞれ満了したものと認めるから、右取締役等の任期満了による改選を目的たる事項とする申請人等の株主総会招集の請求は正当である。」（横浜地決昭三一・八・一三判時八七・一八）。

【45】「明治四十四年商法中改正法律施行前ノ商法第百六十六条ニ取締役ノ任期ハ三年ヲ超ユルコトヲ得ストシ同第百八十条ニ監査役ノ任期ハ一年ヲ超ユルコトヲ得ストセルハ、同一人ヲシテ永ク取締役又ハ監査役タラシムルトキハ会社ノ業務ニ関シ幾多ノ弊害ヲ生スヘキヲ以テ之ヲ防カンカ為メ三年又ハ一年毎ニ株主総会ヲシテ改選セシムルノ趣旨ニ出テタルモノニシテ、其公益規定タルコト論ヲ竢タスト雖、取締役又ハ監査役ノ任期満了後ニ至ルモ株主総会ニ於テ更ニ其改選ヲ為ササル場合ニ於テ前取締役又ハ監査役カ其職務ニ属スル会社ノ業務ヲ執行スルコトヲ禁止シタル法意ナリト解スルヲ得ス。却テ現行商法第百六十七条ノ二〈現二五八条〉及ヒ第百八十九条〈現二八〇条〉ニ規定セルカ如ク後任ノ取締役又ハ監査役カ就職スルマテ仍ホ取締役又ハ監査役ノ権利義務ヲ有スルモノト解セサルヘカラス。然ラサレハ会社ノ機関ハ一時欠缺ヲ生シ会社ハ活動ヲ為ス能ハサルノ情態ニ陥ルノ弊害ヲ生スヘケレハナリ。」（大判大五・五・五民抄録六六・一四五三二）。

（七）　取締役の報酬はその職務に関する労務の提供に対する対価であるが、会社との特約がない限り、取締役は当然にはこれを請求することはできない（商二五四Ⅲ、前商二五四Ⅱ、旧商一六四Ⅱ、民六四八Ⅰ）（大阪地判昭二・九・二六評論一七商五一参照）。しかし、かかる報酬附与の特約は、明示又は黙示的に会社との任用契約中に包含されているのが通常である。そして商法は取締役の受くべき報酬は原則として定款にその額を定めるものとし、定款にその額を定めなかつたときは株主総会の決議をもつて定めるとしているから（商二六九、前商二六九、旧商一七九）、任用契約において定められた報酬請求権の具体的な内容は、定款又は総会の決議をもつて報酬の額を定めることにより確定すべきものとされていると解せられる（本条の趣旨に関し【54】参照）。定款又は株主総会の決議においては取締役全員についての報酬総額のみを定むれば足り、その各取締役への配分は取締役会の決定に委ねて差支えない。定款又は総会の決議により額が定まらないかぎり、取締役は報酬請求権そのものをも有しえないと解する見解もあるが（弘田・鈴木・前掲三三二）、報酬の附与自体は通常会社との任用契約において明示的又は黙示的に約定されている事項である（名古屋高判昭二九・一一・二二【52】参照）。

報酬の額が定款又は株主総会の決議をもつて定むべきものとされているのは、その決定が株主の利害に重要な関係があるのみならず、これを取締役にまかせるときはいわゆるお手盛りとなるおそれがあるからにほかならない（大阪控判昭三・一〇・三〇【48】参照）。したがつて、報酬額の決定及び支払を無条件に役員会等に一任する総会の決議は立法の趣旨に反し無効というほかないが（東京地判昭二六・四・二八【46】）、報酬額の最高限を定めその範囲内で具体的な金額の決定を取締役会に一任することは差支えなく、定款又は総会の決議をもつてその金額を確定的に定めることは必要でない。例えば、総会において取締役・監査役の報酬及び交際費の年最高額を定め、各営業年度における報酬額の決定を両者相互の協定に一任することも、「斯クシテ定マリタル報酬ハ結局総会ノ決議ニ依リタルモノト謂ヒ得ヘキガ故ニ」適法であり（大判昭五・四・三〇評論一九商法三三五新聞三一三三・八）（判旨賛成、田中・前掲会社法二五六）、同様に株主総会が取締役及び監査役の報酬を決議するにあたり、その限度額を定め且つ右役員各自に対する支給額の決定を取締役会に一任することは違法ではない（大阪地判昭二八・六・二九【47】）。そしてここでは、監査役の報酬をも一括して定めても何ら差支えないわけである（【47】【48】参照）。或いは、会社の定款に頭取・副頭取は取締役会において定める俸給を受けるものとすると定めたときは、商法第二六九条にいわゆる定款に報酬の額を定めた場合に該当すると解した判例があるが（大判昭四・六・五【49】）、これは正当とはいえない。同判決のいうように、かかる定款の規定も報酬額の決定を取締役会の無制限な自由に一任した趣旨ではなくして、各種の事情を斟酌し相当な範囲においてその決定をなすことを一任したものと解されるにしても、それだけでは取締役の報酬の額は定款又は株主総会の決議をもつて定めるものとする商法第二六九条の立法の目的にそわないからである（同旨、田中・前掲会社法二五六。なお、上田・商事法務研究六四・一六参照）。

【46】「会社役員全体（取締役監査役）に対する報酬額の決定並にその支払を無条件で役員会に一任する旨の株主総会の決議は前記商法の規定＜二六九条＞に違反して無効のものと考える。蓋し取締役は会社の実権を掌握するものであつて自己に対する報酬を自己の一存で決定させるときは往々にして会社の利害を度外視し、自己の利益のみを図り、専権に走るの弊なきを保し難いので、前記商法の規定はこの弊害を防止するために設けられたものと解するのが相当である。即ち株主総会の決議で取締役等会社役員に対する報酬額並にその支払の決定を役員会の決議に委任するに当つては、役員等に対する報酬総額に制限を加えるとか或は前記のような専断に陥るおそれがないような方法で役員の内一、二の限られた者に対する報酬額の決定を相当額の範囲内で役員会の決議に委任するというように制限附の委任は法の禁止するところではないけれども、前記のような役員会に無条件一任の決議は商法の認めないものと解すべきである。」（東京地判昭二六・四・二八下級民集二・四・五六九）。

【47】「役員報酬の決定に関し、商法第二百六十九条及び第二百八十条の法意は、会社の機関たり又最高幹部たる役員らが、もし自己の受くべき報酬を自己の自由に定める場合に於ては、その地位を利用して自らの利益のみを図り、会社の利益を顧みない場合もなきにしも非ずも考え、之を防止するところにあるから、本件の如く株主総会の決議により役員等の報酬の総額又は限度額を定め、且つ役員各自に対する支給額の決

定を取締役会に一任し、以て具体的な額の決定方法までも定めたる場合は、右法条の趣旨を全うせられて些かの違法もない。而して之は取締役の報酬と監査役の報酬とを各別に定めるも、はた又一括して定めるも何ら結論を異にすべきものではない。又右の如き場合、取締役会は監査役の報酬支給額を定め得ることは勿論のこと、自己の構成員各自の支給額をも自ら定め得べくこれは何等委任の趣旨に反せず、又新商法第二百六十条の二第二項、第二百三十九条第五項も会社の利益が侵害されることを妨ぐ担保的規定であるから、限られた範囲内の純自治的なかくの如き場合には性質上当然適用がない。」（大阪地判昭二八・六・二九下級民集四・六・九六三）。

【48】「商法第百七十九条〈現二六九条〉第百八十九条〈現二八〇条〉ノ規定ニ取締役及監査役ノ報酬ニ関シテハ定款若クハ株主総会ノ決議ヲ以テ必ス其金額ヲ定ムヘキコトヲ規定セル所以ハ、〈中略〉是等会社重役等ノ報酬額ヲ定ムルニ付之ヲ右重役等ノ裁量ニ一任スルトキハ往々ニシテ其地位ヲ利用シテ自己ノ利益ノミヲ図リ会社ノ利益ヲ顧ミサルカ如キコトナキヲ保セサルヲ以テ、之ヲ防止スル為右ノ如ク其報酬額ハ定款若クハ株主総会ノ決議ニ依リ之ヲ定ムヘキモノト為シタルモノト観スルヲ正当トスルト共ニ、右両者ノ報酬額ヲ定ムル方法ニ付テハ法律ニ何等ノ規定ナキノミナラス取締役及監査役ノ報酬額ヲ一括シテ定ムルコトヲ禁止シタル規定モ亦存在セス、而モ右両者ヲ各別ニ定ムルモ将タ両者一括シテ定ムルモ、其金額ニシテ一定セル以上、等シク其定マリタル範囲内ニ於テハ之カ区分ヲ給与ヲ受クヘキ右重役相互間ノ自由処分ニ委スルニ於テ敢テ上述ノ商法規定ノ精神ニ背反スルトコロナキ理ナルカ故ニ、前記大正九年四月二十九日ノ株主総会ニ於ケル取締役監査役ニ給与スヘキ報酬額ヲ年額四万円トスル旨ノ決議ハ其報酬額ヲ定ムルノ決議トシテ毫モ違法ノ点ナク〈後略〉。」（大阪控判昭三・一〇・三〇評論一八商法四一）。

【49】「被上告会社定款ニ頭取副頭取ハ取締役会ニ於テ定ムルトコロノ俸給ヲ受クルモノトストアルハ、素ヨリ其ノ俸給金額ノ決定ヲ取締役会ノ無制限ナル自由ニ一任シタルノ趣旨ニアラスシテ、此等ノ者ニ対スル俸給ハ社会事情ノ変遷会社営業状態ノ推移或ハ頭取副頭取タルヘキ者ノ手腕閲歴如何等ニ依リ其ノ額ヲ異

ニスヘキヲ適当トシ予メ其ノ金額ヲ固定セサルヲ便利トスルカ故ニ、右定款ハ此等ノ事情ヲ斟酌シ相当ナル範囲ニ於テ其ノ決定ヲ取締役会ニ一任シタルノ意ナリト解スヘキモノナレハ、被上告会社定款ノ規定ハ此ノ意味ニ於テ頭取副頭取カ受ク可キ報酬ノ範囲ヲ決定スヘキ手段ヲ指定シタルモノニ外ナラサルモノニシテ、而カモ商法第百七十九条〈現二六九条〉ニ所謂定款ニ其ノ範囲ヲ定メタル場合トハ此ノ如キ方法ノ指定モ亦之ヲ包含スルモノト解釈シ得ルモノナルカ故ニ、被上告会社取締役会カ其ノ定款ニ依リ所謂頭取副頭取ノ報酬額ヲ決定シ之ヲ株主総会ニ付議セサリシハ必シモ之ヲ法規ニ違反セルモノト謂フ可カラス。」（大判昭四・六・五評論一八商七〇三）。

いつたん発生した取締役の具体的な報酬請求権は、各取締役の同意がない限り、後にこれを減額又は剝奪しえないことはいうまでもない。したがつて、「既ニ以前株主総会ニ於テ定メタル取締役（事案では監査役）トシテ当然請求シ得ヘキ報酬金ヲ将来ニ於テ辞退スルト云フカ如キ重役会ノ決議ハ、該決議ニ参加セサル者ニ対シ当然其拘束力ヲ及ホスヘキ法律上何等ノ根拠」がないわけである（東京控判昭三・一一・三〇【50】）。すなわち、総会でその総額が定められた報酬の配分の結果、具体的に定まつた各取締役の報酬額は、当該取締役の同意がないかぎり、たとい取締役会の決議をもつてしても後にこれを変更することは許されえないのであつて、最近の最高裁判所の判決もこの結論を支持している（最判昭三一・一〇・五【51】。同旨、【50】【52】）。嘗ての大審院判例は、既に協議により一旦確定した各自の支給額を重役会の多数決で変更し、単に減額するのみならず剝奪することも差支えないとしていたが（大判昭七・六・一〇【53】）、この点は右の判決（【51】）により修正されたものということができる。

【50】「既ニ発生シタル報酬請求権ノ抛棄又ハ〈中略―本文中に引用〉ナキノミナラス、之ニ反スル定款

又ハ特約ノ存在セルコトニ付何等之ヲ認ムヘキ証憑ナキ本件ニ於テハ、重役会ノ決議ヲ以テ該決議ニ参加セス且後ニ於テ之ヲ承認シタル事ナキ甲〈控訴会社の監査役〉ニ対シ其効力ヲ及ボササルコト明瞭ナリ。〈中略〉控訴会社優先株主臨時総会ニ於テ前記重役会決議ト同一内容ノ決議ヲ為シタル事実ヲ認メ得ヘシト雖、右決議ノ趣旨ハ控訴会社ニ於テ最初ニ定メタル取締役又ハ監査役ニ対スル報酬金支給方法ニ関スル株主総会ノ決議ヲ変更シ其既往ニ於テ支払未済ノ報酬金ハ之ヲ辞退セシメ将来ノ報酬金ハ株主ニ対スル株式利益配当アル迄ト云フ一定ノ時期ヲ限リ其支給ヲ為ササルコトト為シタルモノト解スヘク、而シテ斯ノ如キ株主総会ノ決議ノ変更ハ将来ニ向ツテハ其効力ヲ生ジ会社ノ機関タル取締役又ハ監査役ハ将来ノ報酬金ノ支給ヲ一定ノ期間停止スルノ点ニ於テハ其決議ニ羈束セラルヘク該決議ニ参加スルト否トニヨリテ其効力ヲ二三ニスヘキモノニ非スト雖モ、該変更ノ決議以前ニ遡リ既ニ発生シタル報酬金支払請求権ヲ抛棄セシメントスル点ハ仮ニ出席者全員ニ於テ之カ決議ヲ為スモ該決議ニ参加セサル者ニ於テ之ヲ承認セサル限リ其決議ヲ以テスルモ之ヲ強要スル能ハサルモノト解スルヲ相当トスヘキカ故ニ、右株主総会ノ決議ニ参加セサル被控訴人等先代甲ニ於テ右決議ヲ承認シタリトノ事実ヲ認ムルニ足ル証拠ナキ本件ニ於テハ、控訴人ハ同人ニ対シ該決議ヲ理由トシテ右報酬金ノ支払ヲ拒ムコトヲ得サルモノト謂フヘク、只右決議ノ趣旨ニ基キ右決議ノ翌日ヨリ株主ニ対シ株式ノ利益配当アリタル日迄ノ報酬金ハ之カ支払ヲ拒絶シ得ヘキモノトス。」（東京控判昭三・一一・三〇新報一六八・一九）。

【51】　「原判決の認定するところによれば、上告会社の臨時株主総会は、同会社の第五十八期における同会社の取締役及び監査役の受くべき報酬総額を金四〇万円と決定し、各取締役及び監査役に対する右報酬金の支払並びに分配方法を取締役会の決議に一任したので、昭和二七年二月七日取締役会は右株主総会の決議に基き前記報酬金四〇万円の配分について結局二六万七千円を社長及び専務取締役の第五十八期報酬に当てることとし、右両名の間における報酬の配分並びに支払方法を社長たる被上告人に一任する旨の決議をしたというのであつて、所論のように、被上告人が右報酬の配分を決定するにつき専務取締役たる甲と協議する

ことを要するとか、協議の調わなかつた場合には更に取締役会の承認を受けることを要するというがごときことは原判決の認定しないところである。されば被上告人が当時原判決認定の如き事情によつて専務取締役たる甲の同意を得ることができなかつたので、その一存をもつて原判示のように自己の受くべき報酬額を決定したからといつて、右取締役会の決議の本旨に反するものでないことは勿論であり、また前述のとおり、取締役会の決議によつて社長に一任された社長、専務取締役に対する報酬の配分を社長が決議の趣旨に従つて決定したにすぎないのであるから、何ら商法二六五条に触れるところはないのである。＜中略＞前述の如く取締役会の決議に従い、社長が正当に一営業期間内自己の受くべき報酬額を決定した後においては、社長の同意がないかぎり取締役会といえども、右報酬額を変更することはできないものとした原判決の判断は正当である（最判昭三一・一〇・五昭和三〇年(オ)第一七七号ジュリスト一二二・八八）。

【52】「特別の利害関係ある取締役は、取締役会において表決権を行使し得ないとする右規定＜商法二六〇条ノ二第二項二三九条五項＞の趣旨は、会社または取締役会と相対立する利害関係のある特定の取締役の議決権行使を排除して、取締役会における決議の公正を担保しようというのがそのねらいであると解すべきであるから、株主総会が取締役の報酬及び賞与金の総額のみを決議し、取締役各自に対する支給額の決定を取締役会に一任した場合に、取締役会に出席した取締役が各自の配分につき表決に加わり、または特定の取締役にその配分方法を一任することは、取締役全体の一般的事項を議するものであつて、ある特定の取締役にのみに関する事項を議決する場合にみられるような利害が対立するものではないから、決議の公正を害するものとすることはできない。従つて原告が取締役会の各取締役に対する報酬配分の決議に加わり更にその委任に基いて自己の報酬を定めることは、すこしも前記規定に反するものではなく、もとより有効としなければならない。＜中略＞。よつて、次に右のように確定された報酬の額を、その後において変更することが許されるか、どうかについて考えてみるに、およそ会社が取締役に対して支払う報酬は、取締役が会社の業務

を執行したことの対価として受けるもので会社と当該取締役との間に結ばれる契約に基くとみるべきものであるから、一旦具体的に定められた報酬の額は当該取締役の同意がない限り、会社はこれを後日にいたつて一方的に減額することは許されないものといわなければならない。」(名古屋高判昭二九・一一・二二下級民集五・一一・一九〇九)。

【53】「原判決引用ノ第一審判決事実摘示ニ依レハ重役ノ報酬金及ヒ賞与金ハ株主総会ニ於テ其ノ総額ヲ決議シ重役各自ノ支給額ハ重役会ノ協議ヲ以テ之ヲ決定スヘキモノナルコト上告人ノ自認スル所ナリ。而シテ右総額ノ範囲内ニ於テ重役各自ノ支給ヲ受クヘキ金額ハ其ノ各自ノ重役トシテノ職務ノ繁閑勤怠成績等ニ依リテ差等ヲ生シ、勤怠成績ノ如何ニヨリテハ重役中全然之カ支給ヲ受クルニ値セサルモノナキニシモ非サルコト、右給与カ報酬又ハ賞与タル性質上当然ノ事ニ属ス。本件ニ於テ株主総会カ重役各自ノ報酬及ヒ賞与ノ金額ニ付テノ決定ヲ重役会ノ協議ニ委任シタルモ上敍ノ如キ基準ニ拠リテ公平無私ニ之カ分配ヲ為サシムル趣旨ニ外ナラスシテ、如何ニ職務ヲ怠リ成績不良ナルモ苟モ重役タル者ニハ右金額ヲ分配支給スヘキコトヲ委任シタルモノニアラサルコト其ノ支給金ノ性質及株主総会カ重役ニ対スル報酬金及賞与金ノ総額ノミヲ決定シタル原審確定ノ事実ヨリ容易ニ之ヲ推知シ得ル所ナリ。然リ而シテ右委任ニ依ル重役会ノ協議ニ付議決方法ヲ特定シタルコトハ原審ニ於テ顕ハレサル事実ナルヲ以テ該協議ハ重役多数ノ意思ニ依リテ議決セラルヘキモノト解スルヲ相当トス。従テ右協議ニ依リ一旦決定シタル事項ヲ変更スルニ付テモ亦重役多数ノ意思ニ従ヘハ足リ、敢テ重役全員ノ同意ヲ要セス、又之等ノ協議ヲ為スニ付重役ノ全員カ集会セサルヘカラスト謂フコトナシ。然ラハ則チ、所論ノ如ク原審カ、株主総会ニ於テ取締役及監査役ノ報酬ノミヲ決議シ各自ノ取得額ノ確定方法ニ付何等定メヲ為ササルニ於テ之カ確定方法ハ取締役監査役会ノ多数決ニ依ルヘキモノト断定シ、且一旦各自ノ取得額ヲ全取締役監査役ノ協議ニ依リ確定セラレタルモノヲ不利者ノ参与又ハ同意ナクシテ多数決ヲ以テ随意ニ変更シ上告人ニ対シ全然報酬ヲ与ヘサル決議ヲ為シタルコトヲ有効ナリト認定シタルハ洵ニ正当ニシテ、原判決ニハ所論ノ如キ株主総会ノ決議ノ趣旨ニ反シ又ハ多数決ノ根拠ヲ明示セサル

理由不備等ノ違法ナク論旨理由ナシ。」（大判昭七・六・一〇民集一一・一三七〇評論二一商法五二七新聞三四七一・一〇法学二・二三三）（評釈、田中(耕)・判例民事法昭和七年度三六一）。

株主総会において、取締役の報酬の総額を定めると同時に、各取締役に対する支給額の決定を取締役会に委ねる旨の決議をなしたときは、その配分は取締役会の決議によるべきことはいうまでもないが、この点につき総会の決議に別段の定めがないときは、その配分をいかにして定めるかにつき疑問を生ずる。この場合においてもその配分は会社の業務執行の問題であるとして、取締役会の決議によるべきであるとする解釈もありうるし、またすでに報酬の総額は確定しているのであるから、その配分は支給をうくべき取締役の間の内部的配分の問題にほかならないとして、取締役全員の協議によるべきものとする解釈もありうる。取締役と監査役の報酬を一括して定めた場合も同様であつて、前の見解によればその配分は取締役会の決議によることになり、後の見解によれば取締役及び監査役全員の協議によることとなる。判例は前の見解をとつているもののごとくであつて、大審院は、総会において取締役及び監査役の報酬及び賞与の総額のみを定め各自に対する支給額の確定方法を定めなかつた事案において、重役会の多数決をもつてこれを決すべきものと解しており（大判昭七・六・一〇【53】）、近時これにならつた下級審の判決が見られる（大阪地判昭二八・六・二九前掲【47】）。なお、右の大審院判例（【53】）は、重役会は各取締役の職務の繁閑・勤怠成績等を斟酌して配分を決定することを要し、或る取締役に対しては全然報酬を支給しないことを決議しても差支えないとしているが、報酬の附与は通常任用契約中に含まれているものとみとめられるから、或る取締役につき無償と解せらるべき特別の事情がある場合は別として、一般には総会の定めた報酬額の配分を決定する取締役会において特定の取締役に対し報酬を支給しない旨を決議することはできないものといわなければならない。

報酬は取締役としての職務に関する労務の提供の対価であるから、取締役がその職務外の行為に対して受ける報酬は、もとより商法第二六九条の適用外にある（同旨・大判昭九・二・二七法学三・一〇六九）。また退任取締役に対して退職慰労金を贈与する慣習があるが、これも在職中の職務執行に対する報酬とみるべき場合が多く、かかる性質を有する限り同条の適用を受けるものと解すべきである（同旨・松田・鈴木・前掲三二三）（大阪地判昭三二・一一・一六商事法務研究九〇・八は、取締役の退職慰労金は在職中における職務執行の対価として支給されるものであるから、商法二六九条にいう報酬の一種とみるべきで、その金額・時期・方法は社長一任において定める旨の定款の規定は無効であるとする）。退職慰労金は在職中の特別功労に対して支給されたものであり本条の報酬には該当しないという抗弁を却けて、重役会の決議のみによつて退職慰労金の支給をなしても無効であるとした下級審の判決があるが（東京地判昭六・六・三〇新報二六一・三二）、退職慰労金が在職中の特別功労に対する支給としての性質を有するならば、直接にはいわゆる報酬には属しないが、しかしなお報酬の支給の場合に準じて株主総会の決議を要するものと解すべきであるから、右の判決はもとより正当である。報酬と異なり、取締役の賞与金は会社が利益をあげた場合にその利益金の一部を与えるものであつて、その性質は利益金処分の一方法である（同旨、鈴木・前掲一六二、田中・前掲会社法二五五）。税法上の判例もこれを肯定している（行政裁判大一三・五・二六新聞二三一〇・九。行政裁判昭一〇・六・二九昭和六年第五七号も、反証のない限り利益金の処分とみとめる）。かかる重役賞与の性質上これにも株主総会の決議を要するが（商二八三、前商二八三、旧商一九二）、第二六九条にいわゆる報酬には含まれない。したがつて、賞与金をも右の規定にいわゆる報酬の一種と解し、報酬のうち経常的に支給する金額を特に報酬又は俸給と称し、決算期における利益金中より支給するものを特に賞与金と称するのは（東京地判昭三・一一・一二新報一七二・二七参照）、法律的には正当ではない（尤も大判大一三・一一・一三集報一商二九三は、賞与金は利益ある場合に支給するもののみに限らず、一定の俸給以外に給与するものを指していうこともあり、各場合につきその意義を定めなければならぬとする）。またかように賞与金も商法第二六九条にいわゆる報酬の一種に属するという立場から、各事業年度の利益金額に対する一定比率をもって賞与金（「特別の報酬金」）とする旨の定款の定めは、その金額を利益金の多寡に従いおのずから確定せしめるから、定款に報酬の額を定めたものとなしうるとみとめた下級審の判決もあるが（大阪控判昭三・一〇・三〇評論一八商法四二【48】事件）、前述のごとき賞与金の性質上、たといかような定款の定めがある場合でも、その支給をなすためには毎決算期における株主総会の決議を要すると解しなければならない（同旨、田中・前掲会社法二五六）。これに反して、報酬にあっては、一旦その額につき株主総会の決議がなされている以上、その変更の必要がない限り、必ずしも毎年の定時総会でこれを決議する必要はない（同旨大阪地判昭二・九・二六評論一七商法五一（前出五一頁））。取締役の報酬金支払請求権は会社の商行為にもとづく債権であり、年六分の法定利率による（東京控判大五・三・四評論五商法三二七参照）。

なお創立総会において会社成立後に取締役が受くべき報酬の額を定めうるかに関し、嘗てこれを否定した判例もあるが（大判大二・五・一三民録一九・三三八民抄録四六・一〇八二五）、創立総会の権限を特に制限的に解すべき必要がないのみならず、創立総会において取締役の報酬の額を定めても前述した商法第二六九条の趣旨に何ら反しないのであって、これを肯定すべきである（同旨、大判昭五・三・一【54】、東京控判昭四・八・一三評論一九商法一七一）。また会社解散後、株主総会において会社に功労のあった者に報酬金贈与の決議をなすことも、清算の目的の範囲内の行為として有効であることはいうまでもない（大判大二・七・九民抄録四七・一〇二四、東京控判大一二・一二・一評論一二商法一一二）。

【54】「商法カ取締役及監査役ノ受クヘキ報酬ニ付テハ定款ニ其ノ額ノ定メナキ以上必ス株主総会ノ決議ヲ以テ之ヲ定ムヘキ旨ヲ規定セル所以ハ、会社ト取締役若クハ監査役トノ関係ハ委任ニ関スル規定ニ従フコ

トトセルニヨリ、報酬ノ額ノ如キモ民法ノ委任ニ関スル規定ニヨリ会社代表者ト個々ノ取締役若クハ監査役トノ間ノ合意ヲ以テ随時定メ得ヘク解セラルルカ故ニ、斯ノ如キコトヲ許ササル趣旨ヲ明ニスル為ニ出テタルモノトス。然ルニ創立総会ニ於テ取締役及監査役ヲ選任スルハ之ヲシテ設立手続ニ欠缺セル所ナキヤ否ヲ調査シ総会ニ報告セシムルニ在リト雖、之ト同時ニ将来会社成立ノ暁直ニ之ヲシテ夫々業務執行並代表ノ任ト監査ノ任トニ当ラシメントスルカ為ニシテ、取締役及監査役ト会社トノ関係ニ至リテハ創立総会ニ於テ選任セルモノト株主総会ニ於テ選任セルモノトノ間ニ差異ナシ。従テ創立総会ニ於テ取締役及監査役ヲ選任スルト同時ニ将来会社成立ノ暁之カ受クヘキ報酬ノ額ヲ決議スルコトハ毫モ商法ノ禁スル所ニ非スト解スヘキナリ。」（大判昭五・三・一評論一九商二六五）。

三　取締役の終任

（一）　取締役は何時でも辞任することができるが（商二五四Ⅲ、民六五一Ⅰ。旧商一六四Ⅱ・民六五一Ⅰ、前商二五四Ⅱ・民六五一Ⅰ）、やむをえない事由があるときを除き、会社のために不利益な時期において辞任したときには、会社に対しこれによって生じた損害を賠償しなければならない（商二五四Ⅲ、民六五一Ⅱ）（右の点につき、監査役に関する大阪地判昭七・三・一二【62】参照）。そして辞任した後においても、他の取締役に管掌事務の引継をおわらない間は、「其ノ事務ニ付仍ホ善良ナル管理者ノ注意ヲ以テ之ヲ処理スヘキ任務」を有する（大判大一三・一二・五【24】）。この判例は、退任取締役の義務に関する規定（商二五八、前商二五八、旧商一六七ノ二）を欠く明治四四年の改正前の商法のもとでなされたものであり、且つ後述のように辞任により直ちに取締役たる資格の喪失を来たすのであるから、委任終了後の善処義務に関する民法第六五四条に拠っているものと解される（山尾・判例民事法大正一三年度五四三、田中・前掲会社法二六〇参照）。

明治四四年の改正で会社と取締役との間の関係は委任に関する規定に従う旨が定められたが（旧商一六四

Ⅱ。商二五四Ⅲ、前商二五四Ⅱ）、それ以前にあつては、辞任はみとめられないと解する立場から取締役の任務を辞するには株主総会に向い解任を求めるほかに方法がないものとし（東京控決明治三七年【57】）、また法の精神は一旦取締役となることを承諾した以上は任期中随意に辞職するのを許さない趣旨であつて、取締役の一身の都合上必要な場合には株主総会の決議をまつて始めて辞任することをうるとするような見解（大阪控決明四〇・一一・二〇新聞四六五・二一（前出二八頁）。ほぼ同旨、大阪地判明治三四年新聞五〇・二二）もみれらたが、しかし右の改正前においても、取締役と会社との間の関係が委任関係なることをみとめて、取締役が会社に対して辞任の意思表示をなせば直ちにその効果を生じ、かならずしも株主総会の承認を要しないと解するのがむしろ多数説であつて（名古屋控決明三五・一二・四【17】、大阪控決明四一・三・一六新聞四九四・二一（選任につき単独行為説をとる、（前出二五頁）、京都地決明治三六年（ソ）第一一〇号新聞一八三・二〇、大阪地決明四〇・一〇・二六新聞四六三・一〇、神戸地決明治四一年【18】、監査役に関する東京地決明三六・九・一〇新聞一六〇・九、横浜地決明三六・一〇・二九新聞一七六・一八）、大審院も明治四四年の改正前の法律状態につ後後にこれを確認している（大判大一三・一二・五【24】）。

かように嘗ては辞任の性質につき見解の相違が見られたが、今日では辞任が単独行為であつて、会社に対する一方的意思表示（辞表の提出という形式でなされるのが通常）によつて直ちにその効力を生じ、会社の承諾を要しないことは、殆んど異論を見ないところである（上掲判例のほか、大判大一五・二・二四【56】、函館控判大九・八・二四【58】、東京地判昭二七・六・二三下級民集三・六・八七五、監査役に関する大阪地判昭七・三・一二評論二一商法一五六）（福島地判昭一五・一二・一六新聞四七〇六・九も、その辞任を承諾し又は承諾しないものとする総会決議は辞任の効力に影響のない無意義のものであり、その決議の取消を求める法律上の利益は存在しないとする）。なお、辞任に関し取締役間でなされた約束が無効にして何ら拘束力を有しえないのはもとより（監査役に関する京都区判昭一三・九・二一【55】）、辞任の効力の発生を株主総会又は取締役会の承認にかからしめる定款の規定も無効と解すべきである（反対、大阪控決明四一・三・一六新聞四九四・二一（前出）、京都地決明治三六年（ソ）第一一〇号（前出）参照）。また辞任による変更登記の申請期間も、右による辞任の効力発生の時から起算すべきであり（大阪地決明四〇・一〇・二六新聞四六三・一〇（前出）、監査役に関する東京地決明三六・九・一〇新聞一六〇・九（前出）、反対、大阪控決明四〇・一一・二〇新聞四六五・二一（前出））、且つ変更登記の有無にかかわらず辞任によつて直ちに取締役たる資格を喪失する（大判大一五・二・二四【56】）。

【55】「株式会社ノ監査役ハ株主総会ニ於テ選任スヘキモノ又監査役ノ辞任ハ其ノ者ノ自由ナル意思ニ因リ之ヲ為スヘキハ勿論ナリ。サレハ監査役ノ候補者ト目セラルル者ノ間ニ於テ之カ当選ニ関シ或ハ其ノ辞任ニ関シ約束ヲ為スカ如キハ無効ノ行為ニシテ、何等当事者ヲ拘束スルモノニ非ス。本件ニ於テ原被告間ニ原告カ昭和十三年六月ニ監査役ヲ辞任スルコトヲ約束シタリトスルモ六月当時原告ニ辞任ノ意思ナキニ於テハ原告ハ監査役ノ地位ヲ喪フモノニ非ス。」（京都区判昭一三・九・二一評論二七商法三九五新聞四三三六・一三）。

【56】「商法第百六十四条〈現二五四条〉ニ依レハ取締役ハ株主総会ニ於テ株主之ヲ選任ス会社ト取締役トノ間ノ関係ハ委任ニ関スル規定ニ従フトアルヲ以テ、株式会社ノ機関タル取締役ノ資格ハ株主総会ノ選任ニ依リ発生シ会社ト取締役トノ関係ハ委任ノ規定ニ準拠スヘキモノニシテ、取締役ハ民法第六百五十一条第一項ニ則リ何時ニテモ会社ニ対シテ辞任ヲ為スコトヲ得ヘク、而シテ此ノ辞任ハ其ノ旨ノ意思表示ニ依リテ直チニ其ノ効力ヲ発生シ其ノ登記ノ有無ニ拘ラス取締役タル資格ヲ喪失スルモノトス。但シ取締役カ辞任スルモ其ノ登記ヲ為ササル以前ニ於テハ其ノ辞任ヲ以テ善意ナル第三者ニ対抗シ得サルコト商法第十二条ノ規定ニ依リ明カナリト雖、之レ畢竟第三者ハ其ノ辞任登記以前ニ於テハ一応猶取締役タル地位ヲ保有スルモノト信スヘキカ故ニ之ニ因リ第三者ニ損害ヲ被ラシメサル為之ヲ保護スルノ趣旨ニ外ナラサレハ、之アルカ為ニ辞任後其ノ登記アル迄ハ取締役ノ資格権限ヲ喪失セサルモノト解シ得ヘキに非ス。故ニ原判決ノ認定シタルカ如ク被告ニ於テ既ニ取締役ヲ辞任シタル以上ハ其ノ登記ヲ為ササル以前ト雖最早其ノ資格ヲ喪失シ取締役トシテ会社ノ事務ヲ取扱フノ権限ヲ有セサルモノニシテ、斯ノ如ク取締役ノ権限ヲ有セサル被告カ行使ノ目的ヲ以テ擅ニ会社取締役ナル署名ヲ冒用シテ会社振出名義ノ約束手形ヲ作成スルノ行為ハ刑法第百六十二条第一項ノ有価証券偽造罪ヲ構成スルヤ論ヲ俟タス。」（大判大一五・二・二四刑集五・五六）。

辞任の意思表示は、到達によつてその効力を生ずることはもちろんである（同旨・函館控判大九・八・二四【58】、東京地判昭二八・二・一一経済法律時報一・三六）。その意思表示の相手方については、「取締役ノ選任又ハ解任ノ事項ヲ議決スル決議機関」たる株主総会に対してなすべきものとした下級審の判決もあるが（東京控決明治三七年【57】）、会社を代表する取締役又は特にその権限を与えられた任意代理人に対してなすべきものと解すべきである。前記の判決（【58】）は、取締役を辞任すべき決意のもとに会社に対し辞任の表意文句を記載し宛名を同会社社長乙とした書面を、使者をもつて同会社の営業所において支配人丙に交付した事案において、右交付の日に辞任の効力の発生をみとめ、「此意思表示ヲ受クル者ハ常ニ必スシモ〈代表機関たる〉取締役ノミニ限定サルベキモノニ非スシテ、適法ニ其意思表示ヲ受クルコトニ付キテノ代理権ヲ有スル者モ亦、其意思表示ヲ受ケ得ヘキモノナルコト疑ヲ容レス」と判示して、辞任の意思表示の相手方は会社を代表する取締役のほか支配人でも差支えないとしているかのようである。しかし、辞任の意思表示が特にその権限を与えられた任意代理人においても受領しうるは当然であるとしても、支配人のごときは、営業については広汎な包括的代理権を有するが、辞任のようないわば身分の得喪に関する意思表示までも受領する権限は当然には有しないものと解しなければならない（大判大一〇・一・一九新聞一八一四・一三参照。なお行政裁判大一四・七・一八彙報三六下行政一六四は、「庶務課長ノ職ニ在リテ社員ノ進退賞罰其他人事ニ関スル一切ノ事務ヲ管掌スル者ハ、取締役辞任ノ申出ヲ受理スルノ権限ヲ有ス」とする）。

また、取締役が代表取締役に対しその処置を一任して辞表を提出した場合には、その辞任の意思表示の効果の発生を代表取締役の意思にかからしめたものであり、当該代表取締役の意思により辞任の効果を生ぜしめることができる（同旨、東京地判昭二七・六・二三下級民集三・六・八七五（前出六一頁））。

【57】「我商法ハ取締役ノ解任ノミヲ認メ辞任ハ之ヲ認メサルモノナリト解釈セサルヘカラス。従テ取締役

ノ任務ヲ辞セントスル者ハ株主総会ニ向ヒ解任ヲ求ムル外他ニ道ナキコト弁ヲ俟タスシテ明カナル所ナリトス。然ラハ本件ニ於テ取締役ハ単独ノ意思表示ヲ以テ辞任ヲ為スコトヲ得ヘシトノ抗告人ノ主張ハ之ヲ採用スルコト能ハサルノミラス、仮リニ数歩ヲ譲リ単独ノ意思表示ヲ以テ辞任シ得ルモノトスルモ、本件ノ如ク取締役員会ニ向ヒ為シタル意思表示ハ有効ナラス。何トナレハ取締役ハ外部ニ対スル代表機関ニシテ内部ニ於テ取締役ノ選任又ハ解任ノ事項ヲ議決スル決議機関ニアラス。而シテ辞任ノ意思表示ハ此議決機関タル株主総会ニ向ツテ之ヲ為ササレハ表示タル効力ヲ生セサルコト明カナル所ナレハナリ。之ヲ要スルニ、抗告人カ凡ソ会社取締役員会ニ向ヒ為シタル辞任申出ハ之ヲ以テ直チニ任務終了ノ効力アリト見做シ登記申請ヲ為シタルハ、法律ノ解釈ヲ誤リタルモノナレハ、其申請ハ採用スヘカラサルモノナリ。」（東京控決明治三七年(ラ)第三六四号新聞二五七・二〇）。

【58】「会社対取締役間ノ関係ハ委任ノ法規ニ準拠スヘキモノナルカ故ニ受任者ト看做スヘキ取締役ハ何時ニテモ会社ニ対シテ辞任ヲ為スコトヲ得ヘキモノニシテ、此辞任ノ意思表示ハ所謂相手方アル単独行為ニシテ其意思表示カ会社ニ対シテ到達スルニヨリテ完全ニ効力ヲ発生スヘキモノナリト解ス。然リ而シテ其意思表示ハ会社ニ対シテ為サルルコトヲ要スルモノナレトモ、会社ハ法人ニシテ其代表機関タル取締役ニヨリテ法律行為ヲ為スモノナレハ、辞任ノ意思表示モ亦此代表機関ニ依リテ之ヲ受ケ得ヘキモノト解セサルヲ得ス。然レトモ〈後略―本文中に引用〉。」（函館控判大九・八・二四評論九諸法三七七）。

なお、取締役が辞任した場合において、当該取締役が会社に対してその辞任による変更登記をなすべきことを請求しうるか否かが問題となるが、これに関しては対立した二つの見解がある。一方の見解によれば、会社に関する登記の制度は設立に関する準則主義の帰結として採用せられたところであつて、その登記義務は国家に対する公法上の義務と解すべきであるから、辞任した取締役が会社に対しかかる公法上の義務に属する登記変更手続をなすべきことを請求する私法上の権利の発生する余地がないとしてこれを否定している（東京地判大三・一二・一〇【59】監査役に関する東京地判二九・一二・二〇【60】）。しかし、会社と取締役との間の関係が委任に関する規定に従うものであることに鑑みるならば（商二五四Ⅲ、前商二五四Ⅱ、旧商一六四Ⅱ参照）、取締役が辞任したときは、会社は対内的にも対外的にも完全に辞任の効力を生ぜしむべき措置をとり、当該取締役を内外ともに会社と無関係な立場に置くべきであつて、会社は辞任取締役に対して辞任による変更登記をなすべき私法上の義務を負うものと解すべきであり、且つこの私法上の義務は前記の公法上の義務と別段矛盾しないから、両者の併存をみとめて差支えない。昭和三十年の東京高等裁判所判決も、かかる根拠にもとづき、会社は辞任取締役に対しその辞任を善意の第三者に対抗させるために、辞任による変更登記をなすべき義務を負うとみとめている（監査役に関する東京高判昭三〇・二・二八【61】）。この場合、辞任取締役に対して変更登記の義務を負うのは会社であつて、辞任取締役が登記申請義務者たる取締役（代表取締役。非訟一八八Ⅰ参照）に対して登記変更手続をなすべきことを請求しうると解すべきではない（反対、監査役に関する大阪地判昭和七・三・一二【62】）。

【59】　「株式会社ノ登記ノ制度ハ我商法カ株式会社ノ設立ニ付キ準則主義ニ依リタル結果従テ公示主義ヲ採用シタルニ基クモノニシテ、即チ株式会社ノ設立ハ法定ノ設立手続ノ履践ヲ以テ之ヲ許シ特別法規ニ於テ営業ノ許可ヲ必要トスルニ非サル限リハ設立手続完了ノ一事ヲ以テ会社ノ成立スルコトヲ認ムト雖モ株式会社ノ事業カ外界ニ対シ至大ノ影響ヲ及ホスニ鑑ミ会社ノ存続中ハ会社カ外部ニ対シ重要ナル関係ヲ有スル事項ニ付キテハ之ヲ登記シ以テ世人ヲ誤ラサラシメンコトヲ期シタルモノニシテ、商法ハ罰則ヲ設ケテ之ヲ強要スルモノナルカ故ニ、該登記ハ国家ニ対スル義務ナリト云ハサルヘカラサレハ、私人ニ於テ此ノ義務ヲ免除シ得サルハ固ヨリ言ヲ俟タサルトコロナルノミナラス、又私人ニ於テ此ノ義務ノ履行ヲ求メ得サルハ、右登記ニ付キテハ不動産登記法ニ於ケルカ如ク登記権利者及登記義務者ナルモノヲ認メス又同法ニ於ケルカ如ク

判決ニ因ル登記ヲ認メサルヲ以テシテモ甚明瞭ナリト云フヘシ。サレハ縦令原告カ果シテ被告会社ノ取締役ヲ辞任シタリトスルモ、原告ニ於テ被告ニ対シ右辞任ノ登記手続ヲ為スヘキコトヲ請求シ得サルモノトス。」(東京地判大三・一二・一〇評論三商法三三〇)。

【60】「会社の商業登記に関しては不動産登記におけるように私法上の権利関係に基く登記権利者に対する意味での登記義務者なるものがなく、商法会社編においてその規定する登記を為すことを怠つた場合に一定の者に制裁を科する旨規定し(第四百九十八条第一項第一号)これによつてその登記を為すべきことを強制していることをかんがえれば、会社の商業登記を為すべき義務は、本来国家に対するものであつて、同登記を求める私法上の権利が発生する余地がない筈のものと解すべきである。もつとも、合名会社、合資会社におけるように社員相互の契約関係が法人格形成の基礎となり、登記によりその関係が表示される場合には、登記が右契約関係に基く私法上の権利義務に影響を及ぼすこともあり得るので(例えば同法第九十三条に規定する場合)商業登記に関しても別に私法上の権利が発生する余地があると解し得るけれども、株式会社についてはこのようなことはなく、取締役又は監査役に関する商業登記の記載は会社の機関としての法律関係の表示に過ぎず、登記の変更によつてはその個人の会社又は第三者に対する私法上の権利関係に消長を来たさず、即ち辞任した監査役が登記簿上依然として監査役として表示されていても、そのことによつて何等の不利益を蒙るものではないので辞任した監査役は、会社に対し、国家に対する義務に属する商業登記の変更登記手続をなすべきことを求める権利を有しないものといわなければならない。」(東京地判昭二九・一二・二〇下級民集五・一二・二〇七〇)。

【61】「元来監査役と株式会社との関係は委任に関する規定に従うのであつて、その辞任は会社との間にあつては直ちに効力を生ずるのであるが、これを善意の第三者に対抗するためには登記を要するのであるから、株式会社は監査役に対しその辞任を善意の第三者に対抗させるために登記をなすべき義務を負うものといわねばなるまい。けだし、監査役と会社との関係が委任もしくは準委任の法律関係であるからには、その

終了に伴い、会社は監査役に対し会社に対する関係においても、また第三者に対する関係においても辞任の効果を生ぜしめる措置を採り以つて当該監査役をして会社との間において内外ともに全く無関係の立場に置くことは委任もしくは準委任の本質からみて事理の当然と解すべきであるからである。このことは、たまたま商法会社編において、その規定する登記を申請することを怠つた場合に、その義務者に制裁を科することを規定し、この義務の履行を強制していることと毫も矛盾するものではなく、この公法上の義務と前記私法上の義務とは併存して何ら妨げないものである。しかして前記のように控訴人は被控訴会社の監査役を辞任したからには、被控訴人に対しこの事実に副うように変更登記をすることを請求する法律上の利益があることは、監査役に関する登記が公示方法であつて、しかも事実にていしよくする登記の存する以上、また当然のことといわねばならない、この請求権を肯定し所要の変更登記申請をなすことを命ずる判決は、民事訴訟法第七百三十六条にいわゆる意思の陳述をすべきことの判決に外ならないから、この判決の確定を以つて登記申請をすることができるのである。はたしてしからば、控訴人の本訴請求は正当であつて、これを認容すべく＜後略＞。」（東京高判昭三〇・二・二八高裁民集八・二・一四五）。

【62】　「商法第八十九条第百六十四条ニ依レハ会社ト監査役トノ間ノ関係ハ委任ニ関スル規定ニ従フ旨規定スルヲ以テ、監査役ニ於テ不利ナル時期ニ於テ辞任シタルトキハ之ニ因ツテ生スヘキ損害ヲ賠償スヘキ義務アルハ格別、定款ニ特別ノ規定ナキ限リ何時ニテモ辞任シ得ヘキコトハ民法第六百五十一条ノ規定ニ徴シ明ニシテ、＜中略＞原告ノ前記届出ニ依リ監査役辞任ノ効力ヲ生スルモノト謂フヘク、右被告等ノ抗弁ハ其ノ理由ナシ。尚被告等ハ商法所定ノ取締役ノ登記義務ハ公法上ノ義務ニシテ私人ニ対シ斯カル義務ヲ負担スルモノニ非ス従テ原告ハ私法上之カ登記請求権ナキ旨抗弁スルニ付案スルニ、取締役カ商法所定ノ登記義務ヲ懈怠シタルトキハ商法第二百六十二条ノ二＜現四九八条＞ニ依リ過料ノ制裁ヲ受クルコトアルハ勿論ナルモ、監査役ト会社トノ関係ハ委任ニ関スル規定ニ従フヘキコト前示説示ノ如クニシテ民法第五百四十五条ニ依レハ

委任ノ当事者ノ一方カ其ノ解除権ヲ行使シタルトキハ各当事者ハ相手方ヲ原状ニ復セシムルノ義務ヲ負担スル旨規定スルヲ以テ、監査役カ其ノ職ヲ辞シタルトキハ会社ハ私法上其ノ取締役ヲシテ原状回復ノ義務即チ内部関係ハ勿論外部関係ニ於テモ完全ニ監査役タラサリシ以前ノ原状ニ復セシムルノ義務ヲ負フモノト謂フヘク、右外部関係ニ於テ有効完全ニ原状ニ回復セシムル為ニハ監査役辞任ノ登記ヲ為スニアラサレハ其ノ目的ヲ達スルコト能ハサルモノトス。従テ辞任シタル監査役ハ登記申請義務者タル取締役ニ対シ右辞任登記手続ヲ為スヘキコトヲ請求シ得ヘシト解スヘキヲ以テ、同被告等ノ右抗弁モ又之ヲ排斥ス。」（大阪地判昭七・三・一二評論二一商一五七）。

なお、既に辞任した取締役が辞任届書を引渡さないため変更登記ができず、且つその者が依然として職務を行つている場合には、株主は当該取締役及び会社を相手方としてその者が取締役でないことの確認を求める訴の利益を有する（東京地判昭二八・六・一九【106】）。

（二）　会社は株主総会における特別決議をもつて、事由の如何を問わず、また任期中においても取締役を解任することができるが、正当の事由なくして任期の満了前に解任したときには、解任により取締役のこうむつた損害を賠償しなければならない（商二五七ⅠⅡ。旧商一六七、前商二五七）。取締役の解任は株主総会の専属的決議事項であつて、定款によつてもこの権限を他の機関又は第三者に附与することは許されず、また株主総会における取締役解任の効力の発生を第三者の意思にかからしめる定款の規定も無効である（東京高決昭二四・一〇・三一【12】）。　また株主総会の取締役解任権を排除又は制限する会社と取締役との間の契約も拘束力はなく、会社の代表取締役が取締役に対して一定期間は解任しない旨の特約をしても、株主総会がその取締役を解任することは何ら妨げられないのである（東京高判昭二七・二・一三【63】）。　総会がかかる特約の存在を前提として選任をなした場合でも同様である（東京地判昭二七・三・二八【64】）。　また、株主総会自身がその解任権を抛棄することもみとめられない（【64】）。議長一任の決議にもとづき。議長が取締役を解任するものとなすことも許されない（前掲民事局長通達昭和二九・二・一八も、かかる決議にもとづき後日議長が解任した取締役変更登記申請は受理しえぬとする）。

【63】　「控訴人は被控訴会社代表取締役甲が同会社を代表して控訴人との間に、同会社が沖縄における米軍に対する土木建築工事請負事業継続中は同会社の取締役である控訴人を解任しないことの特約があるから、控訴人を解任する旨の右株主総会の決議は無効である旨主張するけれども、取締役の選任及び解任は商法の規定によつて株主総会の決議を必要とするいわゆる総会の専権事項であるから、取締役が株主総会における取締役の選任及び解任決議を制限するような行為をなしえないことはいうまでもない。そして商法第二百五十七条の規定によれば株主総会は何時でもその決議をもつて取締役を解任しうるのであつて、たとえ会社の代表的取締役が会社を代表して他の取締役との間にある一定期間取締役を解任しないことを特約したからといつて株主総会においてその取締役を解任する決議をすることは何ら差し支えないから、右主張もまたこれを採用することができない。さらに控訴人は株主総会の決議の取消は訴によつてのみこれをなしうるのであつて株主総会の決議をもつてしてはこれを取消しえない旨主張するについて按ずるに、商法第二百四十七条第一項〈中略〉は第三者が株主総会の決議の効力を遡及的に消滅させようとする場合の規定であつて後の株主総会が先の株主総会の招集手続に瑕疵があつたことを発見して先の株主総会の決議を将来に向つて消滅させる決議をすることを禁止する趣旨をも包含しないものと解するのが相当である。そして株主総会の決議取消の訴が提起せられた後に、取締役がさらに株主総会を招集し、その総会において先の株主総会の決議を取消して前と同一事項について重ねて同一の決議をしたときは、後の決議は前の決議取消の宣言を受けることあるを予想してその場合に善処するために予備的になされたものと解しえられるから、もし前の決議が適法なものとして取消されなかつた場合は、後の決議はその効力を生じないが、もし前の決議が違法のものとして取消された場合は後の決議はその決議のあつた時から将来に向つてその効力を生ずるものというべき

である。さすれば被控訴会社の前の株主総会においてなした取締役である控訴人を解任する旨の決議が判決によつて取消されなかつた場合は右と同趣旨の後の総会の決議はその効力を生じないが、もし前の決議が違法であるとして取消された場合においては後の決議はその決議のあつた時から将来に向つてその効力を生ずべき筋合であるから、いずれにしても控訴人は被控訴会社の取締役たることを解任せらるる結果となることが明らかである。したがつて東京地方裁判所がなした控訴人の取締役であることの仮の地位を定めて、控訴人が被控訴会社の取締役としての職務を行うことができる旨の前記仮処分は事情の変更があるものとしてこれを取消すべきものとする。」(東京高判昭二七・二・一三民集五・九・三六三)(評釈、岩本・法学論集五・一一九)。

【64】「株主総会の決議であつて相手方の受領を要する意思表示にあたるものはこれが相手方に到達した後は、総会において任意にこれを取消乃至撤回することができないと解すべきであるが、取締役を解任する決議は、当該取締役に対する告知によつて解任の効果を生ずるからその後において株主総会の決議をもつてこれを取消乃至撤回することは許されず、たとえかかる趣旨の決議がなされても、それによつて直ちに前の決議の存在乃至効果に消長を来たすものではない。ところで、本件総会はすでにその効果を生じていると認められる取締役解任の前決議を取り消し、改めて原告を解任する旨決議しているけれども、これによつて前決議の効果が直ちに消滅するものでないことは右認定の通りであるから、結局本件総会は原告の解任という同一事項について重ねて決議をしたことに帰する。而して、取締役解任の決議をした株主総会がその後、更にこれと同一事項について重ねて決議をした場合において前の決議に対しその成立手続上の瑕疵を原因とする取消の訴が繋属中であるときは、後の決議は当然に無効でなく前の決議が右訴の確定判決により取り消されることを条件として効力を生ずると解すべきものである＜中略＞。けだし株主総会の決議といえども一般意思表示の解釈同様可能な限り有効となるように解すべきものであるが、本件決議をかく解することは、前後の事情から容易に推測することができる本件総会がこれにより達しようとした会社における法律関係

の安定を可及的速かにはかろうとの意図に最も適合するのみならずこのことによつて何ら前決議に基く既存の法律関係との牴触を生じこれに混乱を与えるものではないからである。＜中略＞本件決議の内容が右認定の如く前決議の取消を条件としてなされた予備的なものである以上、一事不再議乃至一回性の原則に背くものでないことは明かであり、又、株主総会の決議を条件附でずることが許されないとする理由は存しない以上、本件決議は法律行為として可能、確定、適法の三有効要件に欠けるところがないから、原告の主張には理由がない。＜中略＞原告は、原告の解任は被告会社の株主総会の権限外の事項であると主張するけれども、たとえ、被告会社と訴外甲株式会社との間に原告主張の如き特約の存する事業共同契約が存在し、且つ、被告会社と原告との間にも同様の特約が存在するとしても、そのため、株主総会において原告を解任する権限が喪失するものではなく、又、被告会社の株主総会がかかる契約及び特約の存在を前提として原告をその取締役に選任したとしてもそのことによつて株主総会が原告を解任できなくなるいわれがない。けだし、商法第二百五十七条第一項によれば株主総会は何時でも取締役を解任することができるのであるが、右規定の目的は、これによつて株主の会社企業の実質的、経済的所有者たる地位を擁護するところに存するから、この株主総会の権限は執行機関たる取締役が第三者との間において如何なる契約をしてもこれによつて拘束されるものではなく、又株主総会自体がこれを放棄する如きことは、法律上有効なものとして認めないところであるからである。＜中略＞最後に原告は本件決議はすでに為された仮りの地位を定める仮処分命令に牴触するものであつて無効であると主張するが、既に認定したような内容の本件決議は、前決議の取消の訴の本案判決確定に至るまで原告に被告会社の取締役たる仮りの地位を定めた仮処分命令と形式的にも牴触することができないから、原告のこの主張もそれ自体失当であつて理由がない。」（東京地判昭二七・三・二八下級民集三・三・四二五）。

株主総会の取締役解任決議は、特定の取締役からその資格を剝奪することを目的とする団体法上の行為である。それは特定の取締役からその資格を剝奪する行為であるから、総会招集の通知に記載さるべき議題には解任の対象となる取締役を特定しなければならず（結論的に同旨、大阪地判昭一三・一一・一六新聞四三四八・一七も、取締役何某の解任なる旨の具体的な表示を要するとする。反対、東京地判昭一五・一一・二四評論三〇商法一四三は、単に取締役解任の件とすれば足り氏名・事由の通知を要しないとする。なお単に「取締役増員の件」とした通知のもとで解任決議をした東京地判昭二九・五・二六下級民集五・五・七三九参照）（同旨、大浜、前掲一〇四八）もとよりその者の決定を総会において議長に一任することも許されない（前掲民事局長通達昭和二九・二・一八参照）。またそれはいわゆる団体法上の行為であって、これにもとづいて別に相手方に対してなされる解約告知によって解任の効力が生ずる（【64】）。解任は右のようにいわゆる相手方ある単独行為であって、もとより相手方の承諾を必要としないが、相手方に対する告知によってその効力を生ずるのであるから、その後においては総会の決議をもってこれを取消又は撤回することは許されない（同旨、【64】）。しかし、解任決議に対する取消の訴の繫属中に総会が重ねて同一取締役の解任を決議した場合には、後の決議は当然には無効ではなく、前の決議が右の訴の確定判決により取消されることを条件としてその効力を生ずるものと解される（【63】【64】参照。なお）。なお、取締役たる資格を有しない者を解任してもその解任は無意味であるが、正当に資格を有する取締役が不明確な場合に、登記の有無にかかわらず取締役と主張する者全部を解任して白紙に還し、新たに取締役を選任することは適法であるとみとめられる（東京地判昭一五・五・二〇評論二九商法三五三新聞四五六八・一六）。また取締役に対する訴が現に繫属中であっても、その完結を待たないで何時でも解任することができ（大判昭一八・四・一六昭和一七年（オ）第一一〇三号商事判例集追録二補遺二七）、その職務執行停止の仮処分中においても、株主総会が当該取締役を解任しその後任取締役の選任を決議することを妨げない（大判昭八・六・三〇【35】。仮処分は事情の変更により取消される。なお【36】及び四一頁参照）。のみならず、取締役の解任決議に対する取消の訴が提起され、その判決の確定するまで取締役たる仮の地位を定めて取締役としての職務を行いうるとの仮処分命令が発せられていても（職務執行妨害停止仮処分申請事件）、株主総会が重ねて右取締役の解任を決議することは右の仮処分と形式的にも牴触しないから差支えなく（【64】）且つその仮処分は事情の変更があるものとして取消さるべきであろう（【63】）。

取締役解任の決議がなされた場合においては、たといその決議に取消の原因が存し決議取消の訴が提起されたときでも、その者は右の解任決議により直ちに取締役たる資格を喪失し（東京控決昭六・二・七【65】、東京地判大一二・三・六【66】。反対、監査役に関する長野地判昭四・一二・二六新聞三〇七八・七）、取消判決の確定により遡つてその資格に変動がなかつたこととなるにすぎない（【66】、同旨、東京地判大正一一・三・一〇新聞二〇四四・二三）。したがつて、この理論によれば、解任された取締役はもはや取締役たる資格においてその決議取消の訴を提起することはできないこととならざるをえないわけであって（【66】）、かかる取締役が決議の取消を請求するには株主たる資格において提訴するほかなく（商二四七、前商二四七、旧商一六三参照）（【66】）、株主でない取締役についてはみずからの手で救済をはかることができないこととなる。しかし、定款をもつてしても取締役が株主たることを要する旨を定めえない現行法のもとにおいては（商二五四Ⅱ。旧商一六四Ⅰ対照）、この解釈は適当とはいえない（【68】参照）。それゆえ、「商法第二四七条により、取締役をして、株主と並んで決議の瑕疵を攻撃せしめ、総会の運営を監督させようとする法の趣旨に沿う為には、決議の取消権者たる取締役の資格決定につき、前記法律行為の取消理論の適用に修正を加える必要があるものというべきであ」り（東京地判昭三一・一二・二八【67】）、解任決議により取締役たる地位を失つた者は、その取締役たる潜在的地位にもとづいて決議取消の訴を提起する資格を有するものとしなければならない（【67】）、昭和三二年の大阪高等裁判所判決も、解任された取締役も「商法第二四七条にいわゆる取締役」たる資格において解任決議取消の訴の原告たりうると解している（清算人に関する大阪高判昭三二・一・三一【68】）（なお解任された取締役の地位につき、塩田・立命館法学二二・三九、崎田・法学新報六三・九二八参照）。

【65】「会社ノ株主総会カ同社ノ取締役タリ又ハ監査役タル抗告人等ヲ解任スル旨決議シタル以上、縦令抗告人等カ商法第百六十三条〈現二四七条〉ニ依リ右決議ヲ無効トスル判決ヲ求ムト雖、該判決カ抗告人等ノ勝訴ニ確定スル迄ハ抗告人等ハ右会社ノ取締役タリ又ハ監査役タル事務ヲ執リ得サルモノ即該地位ニ在ラサルモノトス。」（東京控決昭六・二・七評論二〇商法二二九）。

【66】「苟モ株主総会ノ決議アリタル以上仮令総会ノ決議方法ニ違法アリテ無効ヲ主張シ得ヘキ場合ナリト雖モ、訴ヲ以テ其無効ヲ主張シ該判決ノ確定ニ至ル迄ハ直ニ該総会ヲ目シテ無効ノモノナリト謂フヲ得サルコト商法第百六十三条及同条ノ二〈現二四七条及び二四八条〉ノ規定ニ徴シ明白ナルヲ以テ、株主総会ニ於テ取締役ヲ解任セラレタルモノハ形式上該決議ト共ニ直ニ其資格ヲ喪失シタルモノト謂フヘク、唯該決議ノ無効ナルコト訴ニヨリ確定シタル場合ニハ始メヨリ遡リテ其資格ニ変動ナカリシコトト為ルニ過キサルモノト解スヘシ。然ラハ本件係争株主総会ニ於テ取締役ヲ解任セラレタル原告ハ最早取締役タル地位ヲ失ヒタルモノナルヲ以テ取締役タル資格ニ於テハ本訴提起ノ能力ナク、従テ取締役タル資格ニ於ケル原告ノ訴ハ不適法トシテ却下スヘキモノトス。然レトモ原告ハ一面又株主トシテ本訴ヲ提起スト謂フニ在ルヲ以テ右不適法ナルカ為メ本訴全体カ不適法ヲ以テ観ルヘキニ非サルコト勿論ナリトス。」（東京地判大一一・三・六評論一一商法一一〇）（東京地判大一一・三・一〇新聞二〇四四・二三）。

【67】「原告は、昭和二九年一二月末被告会社の全株式を譲渡し、又取締役を辞任したのであるが、〈中略〉、当時における被告会社の取締役は、甲、乙、原告の三名であるから、原告の右辞任により法律所定の取締役の定員を欠く結果となり、商法第二五八条第一項に従つて、原告は新たに選任された取締役の就任する迄依然取締役としての権利義務を有することとなる。そこで、本件総会により新たに選任された三名の取締役の就任により商法第二五八条第一項による取締役としての原告の地位が消滅するか否かが問題となる。取

り消し得べき法律行為も取り消される迄は一応有効として取り扱われるという一般原則をこの場合にも適用するならば、原告は、本件訴による決議取消判決が確定して始めて商法第二五八条第一項により取締役たる権利義務を有することとなり、右決議後取消判決確定迄の間はこれを有しないことに帰する。この立場からすれば、瑕疵ある決議により取締役の改選が行われた場合、右決議の取消権者としての取締役は、当該決議により選任された取締役を意味することになるが、決議の取消により自己の取締役たる地位は消滅するのであるから、一般的に見て、このような自己に不利益な結果をもたらす決議取消の訴の提起を該取締役に期待することは、極めて困難という外はない。この不都合は、或株主総会で瑕疵ある決議により取締役全員が解任せられ、新陣容の取締役が選任された場合に更に明らかとなる。即ち、前記立場に従えば、旧取締役は、株主たる地位を有しない以上、その決議の取消を求め得ず、他方新取締役は自己の利益に反する故、やはり決議取消を求めないであろうからである。従つて、＜中略—本文中に引用＞る。即ち、右決議により取締役たる地位を失つた者は、係争決議の取消により取締役に復帰する可能性を有するのであるから、その取締役たる潜在的地位に基いて決議取消の訴を提起する資格を有するものと解するのを相当とする。よつて右解釈に従うときは、本件の場合、原告は商法第二五八条第一項によりなお取締役としての権利義務を有することとなるから、本件取消の訴を提起し得るものというべきである。」（東京地判昭三一・一二・二八判時一〇七・二二）。

【68】「もし原審の見解の如しとすれば、違法な株主総会の決議によつて、解任された清算人は、自らの手で決議の取消を求めることができないこととなり、結局右清算人は、商法第二百四十七条、第四百三十条によつて与えられた株主総会の決議取消訴訟の原告たる資格を、違法に奪われるに等しいこととなり、右原審の見解は到底肯認することはできないものといわざるを得ない。従つて、右のような清算人は、商法第四百三十条にいわゆる清算人として本訴を提起する資格のあるものというべきである。（もつとも違法に解任された清算人を、なお清算人として取扱うのは商法第二百四十七条、第四百三十条の関係においてのみである

から、本件において、同法第二百六十一条の二、第四百三十条を適用して被控訴会社の代表者を定める必要はない。)」』(大阪高判昭三二・一・三一民集一〇・一・二五)。

従来の判例は、取締役の解任決議においては、当該解任の対象たる取締役は決議につき特別の利害関係を有する者に該当し、議決権を行使することをえないものとしている(東京控判昭一五・四・三〇評論二九商法二二六、東京地判昭八・七・一七評論二二商法五二九)。六月前から発行済株式の百分の三以上にあたる株式を有する株主は、取締役の解任を目的とする総会の招集を代表取締役に対して請求することができ、その請求後二週間内に招集の通知が発せられないとき又はその請求の日から六週間内の日を会日とする総会招集の通知が発せられないときは、裁判所の許可を得てみずからその招集をなすことができるが(商二三七ⅠⅡ、前商二三七ⅠⅡ、旧商一六〇)、かかる少数株主により招集せられた株主総会の解任決議についても、以上に述べたところが妥当する。ただし、かかる総会で取締役の解任決議をなすためには、それが裁判所の許可決定の範囲内になければならない(大判昭四・四・八【69】。同旨、東京控判昭三・七・七新報一六五・一七)。けだし、裁判所の許可は許可決定の範囲内の事項を審議するための総会の招集にのみ関するからである。尤もこの場合においても、その決議は招集権限のない者の招集した株主の集会においてなされたものとして(【69】参照)不存在と解すべきではなく、第二四七条の定める取消の訴に服するに止まるものと解すべきであろう。その決議をなした総会はなお会社の株主総会たるを失わないからである。

【69】「原審ノ確定シタル事実ニ依レハ本件株主総会ハ定款変更ノ為株主カ裁判所ノ許可ヲ受ケテ招集シタモノニ係リ、取締役監査役ノ解任竝其ノ後任者ノ選任ニ付テハ裁判所ノ許可ナカリシモノナレハ、此等事

項ノ決議ハ招集権限ナキ者ノ招集シタル株主ノ集会ニ於テ為シタルモノニ外ナラサルカ故ニ、該決議ヲ無効ト為シタル原判決ハ正当ニシテ論旨ハ理由ナキモノトス。」(大判昭四・四・八民集八・二七七)。

取締役が解任せられた場合にその変更登記を要することはいうまでもない(商一八八・六七、非訟一八八。なお非訟一八八ノ三)。この登記において、解任された取締役の登記原因が辞任となつていたとしても、かかる登記は取締役たる資格の消滅事由については事実に合致していないが、取締役たる資格の消滅という身分の変動そのものについては結局真実に合致しているのであるから、登記としての効力を有するものといえる(最判昭二五・六・一三【70】)(なお大判昭一七・一・三一【32】、東京控判大九・二・二七新聞一七五三・一七(前出三六頁)参照)。

【70】　「原判決の認定したところによれば、他の役員が辞任であるのに一人だけが解任では外観上おもしろくないとの考慮からその部分が真実と合致しない甲第二号証の議事録を作成して登記申請書に添附し、それに基いて登記したというのであつて、すなわちその登記面は、役員資格消滅の事由については真実でないが、資格消滅の身分変動については結局真実に合致しており、登記としては有効で抹消せらるべきでなく、論旨は理由がない。」(最判昭二五・六・一三民集四・六・二二一)。

株主総会の解任決議が不成立となつた場合でも、取締役の職務遂行に関し不正の行為又は法令定款違反の重大な事実があるときは、六月前から発行済株式総数の百分の三以上にあたる株式を有する少数株主は、解任決議不成立後三十日内に解任の訴を提起することができる(商二五七Ⅲ)。この訴の被告につき、最近の判決は、「商法二五七条三項の訴は裁判所の解任判決により直に取締役解任の効果を発生させる形成の訴であつて、少数株主が会社と取締役との間に存する委任関係の解消を求めるもので」あり、したがつてその委任関係の当事者たる会社と取締役とを共同の被告として訴を提起しなければならないとしている（高松高判昭二八・五・二八【71】。同旨、東京地判昭三二・八・一九【72】）（同旨、田中・前掲会社法二六一）。しかし、学説においては、或いはこの訴は会社をして特定の取締役からその資格を剝奪せしめることを目的とし、会社の解任否決の決議を判決をもつて修正せんとするものであるから、会社を被告とすべきであるとし（鈴木・会社法一二八、石井・商法総則会社法二八七）、或いはこの訴は判決をもつて取締役の地位を剝奪すべきことを求める形成の訴であるから、当該取締役を被告とすべきであるとする見解（大隅・会社法概説一二六、大森・改訂会社法講義一七五、松田・会社法概論一九四、松田・鈴木・前掲二七一）が有力である。

【71】「商法二五七条三項の訴は裁判所の解任判決により直に取締役解任の効果を発生させる形成の訴であつて、少数株主が会社と取締役との間に存する委任関係の解消を求めるものであるから、その委任関係の当事者たる会社と取締役とを共同の被告として訴を提起しなければならないものと解すべきである。けだし形成の訴の正当な被告は法律に特別の規定のない以上当該判決による形成作用を受くべき法律関係の主体、もしくはその法律関係について管理権を有するものであることを要するところ、取締役は会社の機関であると同時に会社との間に委任契約上の法律関係を有するものと解すべきであるからである（商法第二五四条第三項）。しかのみならず商法二六七条二項、同法二七二条等には株主が『会社の為』権利を行使する旨明記されているのに同法二五七条三項にはことさらその趣旨の文言が除かれているところから見ても後者の場合少数株主が会社に代つて解任権を行使するものと解することは困難であるから、その訴の当事者から会社を除外すべき理由はない。本訴は取締役だけを被告として提起したもので失当であるから棄却を免れない。」（高松高判昭二八・五・二八民集六・五・二九四）。

【72】「商法第二五七条第三項の訴は少数株主が会社と取締役間に存する委任関係の解消を求める形成の訴と解するを相当とするから、右訴はその委任関係の当事者たる会社と取締役を共同被告としてこれを提起するを要するものと解すべきである。けだし、第三者が他人間に存する法律関係の変更を求める形成の訴に

おいては、他に特別の規定がない限り、当該判決によつて形成作用をうくべき法律関係がその法律関係の当事者全員に合一にのみ確定するを要するからである。しかるに、本件訴は、取締役のみを被告として提起したものであつて、被告の当事者たる適格を欠くから、既にこの点において失当といわなければならない。」（東京地判昭三二・八・一九判時一三〇・二八ジュリスト一四二・六八）。

右の訴の前提となるべき解任決議の不成立は、特定の取締役の解任を議題として表決に附した結果これを否決したものであることを要し、実質的に特定の取締役の不解任を結果しただけでは足りない（【71】事件第一審判決理由参照）。前記【71】事件においては、単に「役員解任の件」を議案とする総会で、解任の訴の対象となつた取締役を含む解任の提案理由の説明がなされたが、右取締役が議長として議事進行にあたり、結局、解任の提案をなした他の取締役について解任決議が成立し、当該取締役の解任は不成功に終つたのである。また職務の遂行に関し不正の行為又は法令・定款違反の重大事実のあつたときというのは、職務遂行自体についてのみならず、職務の遂行に直接間接に関連してなされた場合をも含むものと解すべきであつて、例えば競業避止義務の違反のごときも含まれることはいうまでもない。法令・定款違反の事実が重大か否かの判定は各場合の具体的事実について決しなければならないが、例えば設立後二年半もの間に一度も株主総会を招集しなかつたような場合は、法令定款違反の重大な事実に該当するものといえる（東京地判昭二八・一二・二八判タ三七・八〇）。

取締役解任の訴が提起された場合においては、本案管轄裁判所は当事者の申立により仮処分をもつて取締役の職務執行を停止し又は代行者を選任することができ、本案の繋属前でも、急迫な事情のあるときは同様の仮処分をなしうることがみとめられている(商二七〇)。疑いはあるが、急迫な事情があるときは、総会における解任否決の決議前でもなすことができると解すべきであろう(千葉地判昭二八・一〇・一二【73】)。

【73】「本件の争点は商法第二百七十条(第二百八十条)の仮処分決定は同条第二百五十七条第二項(第二百八十条)の否決の決議前になしうるかどうかの一点に帰着する。＜中略＞。元来、商法第二百七十条(第二百八十条)は、昭和二十五年法律第百六十七号による改正前の商法(以下旧商法と称する)第二百七十二条(第二百八十条)を廃止してここに一括して規定されるに至ったもので、旧商法第二百七十二条(第二百八十条)が果していた機能と実質上同一の機能を新商法第二百七十条(第二百八十条)によって果すべく改正されたものと解すべきところ、旧商法においては資本の十分の一以上にあたる株主が取締役(監査役)の解任を目的とする株主総会の招集を請求した際に急迫の事情があれば取締役(監査役)の職務執行停止及び職務代行者選任を裁判所に請求しうることになっていてこの請求があれば裁判所はあえて株主総会における解任の決議の否決をまたず職務執行の停止職務代行者選任の決定をなしえたものである。尤も、旧商法第二百七十二条(第二百八十条)の決定は本案訴訟の存在を予想しない純然たる非訟事件としての決定であり、新商法第二百七十条(第二百八十条)の仮処分決定は取締役等解任の訴を本案とする仮処分決定であるから本案の請求権の発生が主張され且疎明されることを要することは当然であるが、この両者間の果すべき機能は実質上全く同一である以上商法改正によって少数株主の権利がかえって微力なものとされたとは解しえないし又将来株主総会に於て解任否決の決議がなされることは十分予想されるわけであるから取締役等解任の訴を理由あらしむべき実質上の要件である取締役等の職務遂行上不正行為又は法令若は定款に違反する重大な事実と仮処分の必要性が主張され且つ疎明されれば、改正前と同様にあえて株主総会における否決の決議をまたず仮処分決定をなしうるものであり、若しその後株主総会において否決の決議がなされなければこの仮処分決定は取消されるにすぎないものと解するを相当とする。」(千葉地判昭二八・一〇・一二判タ三四・四三)。

昭和二五年の改正前の商法においては、急迫な事情があるときは、商法第二三七条（前商二三七）の規定により取締役の解任を目的とする総会の招集を請求した少数株主等に、その取締役の職務の執行の停止又は職務代行者の選任を裁判所に請求することがみとめられていたが（前商二七二）、この場合の「急迫な事情」とは、「取締役が会社を経営するについてその職務の執行が適切を欠きその経営に著しい支障を生ずるがために、会社の受ける損失を防止する必要がある場合」のごときをいうと解されていた（大阪高判昭二六・二・二八【74】）。「急迫な事情」に関するこの解釈は、現行商法第二七〇条にいわゆる「急迫な事情」にもそのまま妥当するものといつて差支えない（「急迫な事情」の存在は仮処分の申請が本案の繋属前になされると否とを問わず必要とする見解もある、例えば松田・鈴木・前掲三二六。なお選任の（五）の項とくに三八頁参照）。なお昭和二五年の改正法は、かかる取締役の一般的職務執行の停止のほかに、新たに、個別的な違法行為の差止の制度を設けているが（商二七二）、この場合にも会社に回復すべからざる損害を生ずるおそれある場合たることが要件とされている。

【74】　当事件においては、取締役が総会の増資決議を無視して新株を自己ないし腹心者に割当たのに対して、当時発行済株式の過半数を有していた株主は右取締役解任等を議案とする総会招集を請求したが、他方において既に取締役は増資払込完了の報告総会の招集通知を発しており、この総会が完了すれば取締役は増資新株を手中に収める結果となり、取締役解任の前記総会招集の目的はほとんど失われてしまうので、かかる不当業務執行を阻止するために仮処分を申請し、『申請人等より招集を請求した臨時株主総会の終了並にその議決事項の執行済に至るまで、被申請人等は同会社の取締役の職務を行つてはならない」との命令を得た。この仮処分決定に対する抗告事件において、裁判所は次のような理由で右仮処分を取消した。

「商法第二百七十二条所定の仮の処分は取締役が会社を経営するについて、その職務の執行が適正を欠くためその経営に著しい支障を生じ、或は、会社財産を喪失する虞のあるような場合に、若し、その取締役の解任を待てば、会社経営の急速な悪化、又は、会社財産の大きな損失によつて、会社の存立が危たいに頻するような場合に、会社の受ける損失を防止するため、取締役解任前になされる仮りの処分であるから、取締役の職務執行が、或は、不当又は不適正であつても、直接会社に対し急迫にして著しい損害を及ぼさないような場合には本条による仮処分はなし得ないものと言わねばならない。然るに、本件仮処分の理由として相手方等の主張するところは、〈中略〉であつて、このような事情は単に抗告人等と相手方等とが会社の経営権をめぐつて優劣を争うに過ぎず、これがため、会社業務に間接影響を及ぼすことは勿論考えられるが、抗告人等のなした右増資新株の割当の不当をもつて直に会社経営又は業務執行の不当と速断できないだけでなく、相手方主張のように右株式割当の結果として、近く、増資払込完了の報告株主総会が終了すれば、抗告人等を解任する株主総会の目的は、到底、達成できないとの事情も、これによつて急迫に会社財産の大きな損失を来すものとは認められないから、相手方等の主張する事情は結局本条の急迫な事情に該当しないものといわねばならない。」(大阪高判昭二六・二・二八民集四・二・三四)。

(三)　取締役はその任期の満了・死亡・破産・禁治産により(商二五四、Ⅲ前商二五四Ⅱ、旧商一六四Ⅱ、民六五三)またその公権の剝奪・停止により(刑施三四・三六・三七旧刑三一8・三三)(同旨、大決大一四・四・二四【75】)資格を喪失し、当然に退任する。判例は、任期満了(監査役に関する東京控決明四一・一・二七新聞四七八・一〇、名古屋控決新聞五〇五・九)又は死亡(大決明三四・六・二一民録七・六・五六、大決明三六・七・九民抄録一八・三四三九)による退任の場合などその事項が単に消滅した場合も、商法第六七条(前商六七旧商五三)にいわゆる登記事項中に変更を生じた場合に包含せられ、その変更登記を要するものとみとめている(なお、大決昭七・七・八新聞三四五二・一六は、取締役の死亡は取締役の構成に変更を生ずるから、その登記は非訟事件手続法一八八条三項(現在削除)によらず、同条一項によりなすべきものと解している)。なお取締役の破産の場合には、破産宣告確定のときに退任の効果を生ずる(判決は解任の効果を生ずるとするが、正当でない)ものと解されている(大判昭一六・九・九【76】)。

【75】「刑法施行法第三十七条第三十六条及旧刑法第三十一条第三十三条ノ規定ニ依レハ、六年未満ノ懲役ニ処セラレタル者ハ其ノ刑ノ執行ヲ終リ又ハ其ノ執行ヲ受クルコトナキニ至ルマテ公権ヲ停止セラレタルモノト看做サレ会社ヲ管理スルコトヲ得サルモノナルヲ以テ、公権ヲ停止セラレタルモノト看做サルル者ハ株式会社ノ取締役タル資格ヲ喪失スルモノト解セサルヘカラス。従テ株式会社ノ取締役カ公権ヲ停止セラレタルモノト看做サルルニ至リタルトキハ取締役タル資格ヲ喪失シ当然退任スルモノトス。」(大決大一四・四・二四民集四・二三七)。

【76】「惟フニ口頭弁論ヲ必要トセス申立債権者ノ債権ノ存在及破産ノ原因タル事実ノ疎明ニ依リテ為シ得ル破産宣告ニ因リテ破産者ト為リタル取締役カ其ノ確定ヲ俟タスシテ当然解任セラレ、会社ハ其ノ変更登記ヲ為シ定数ヲ欠ク場合ニハ後任取締役ノ選任ヲ要シ、後日右宣告ノ取消決定確定スルモ其地位ヲ回復セス、ト云フカ如キ効力ヲ生スルモノト解スヘキ何等ノ妥当性アルコトナキカ故ニ、右解任ノ効果ハ、破産宣告ノ確定ノ時ニ生スルモノト解スルヲ相当トス。」(大判昭一六・九・九新聞四七二七・二〇法学一一・四一九)。

会社が解散したときは、合併及び破産の場合を除き会社は直ちに清算手続に入り、清算中の会社の事務執行はすべて清算人によってなされるから、取締役は当然終任となる(商四一七、前商四一七、旧商二二六)。したがって会社を代表すべき取締役も当然にその代表権限を失う(大判明三八・四・一九民録一一・五・二七民抄録二五・五〇二〇参照)。なお、清算人に選任せられた者が解散を争う取締役に対し、その職務執行停止及び代行者選任の仮処分を申請しうるとみとめた下級審の判決がある(神戸地判昭一二・五・二八【77】。本件では解散決議自体の効力が争われている故、取締役につき右の仮処分がなされたのであるが、その仮処分の必要性をみとめるにつき右決議の有効を前提としているのは、矛盾している)。

【77】「会社カ解散シタル場合ニ於テ取締役並監査役カ之ヲ争ヒ其ノ解散登記ヲ為スコトナク業務執行ヲ為スニ於テハ会社並株主ニ対シ著シキ損害ヲ及ホス虞アルコトハ言ヲ俟タサルトコロナレハ、債権者〈右解散会社の清算人に選任せられた者〉等ハ損害ヲ避クル為右事実ヲ争フ取締役並監査役ニ対シ之カ職務ノ執行停止ヲ求メ得ヘキモノト謂ハサルヘカラス。尤モ会社監査役ハ会社解散ニ依リ其ノ地位ヲ喪フコトナキハ債

務者ノ所論ノ如シト雖、右監査役ニシテ会社ノ解散ヲ争ヒ解散ノ登記申請ヲモ為サザルカ如キ状況ノ下ニ於テハ、右登記手続ヲ為スニ至ル迄其ノ職務ノ停止ヲ命スルカ如キハ毫モ仮処分ノ限度ヲ超エタルモノト言フヘカラス。而シテ債権者等ノ主張ニ拠レハ会社ハ既ニ解散シ清算人選任セラレタリト云フニ在ルヲ以テ、従前取締役監査役ノ職務執行停止並代行取締役監査役ノ選任ヲ求ムル本件仮処分申請ハ其ノ主張自体ニ於テ矛盾アルカノ如キ観アリト雖、右解散決議自体ニ争アリ且解散登記並清算人選任登記モ未了ナルコトハ当事者間ニ争ナキヲ以テ、斯ル場合ニ於テハ叙上ノ登記手続ヲ為スニ至ル迄会社ヲ仮ニ解散セサル状態ニ在ルモノトシ、取締役並監査役ノ代行者ノ選任ヲ求ムルモ亦不当ニ非ス。」(神戸地判昭一二・五・二八評論二六商法三七三新聞四一四九・五)。

会社が合併により解散したときは、会社は清算に入ることなく合併の効力の発生と同時に消滅するから(商四一六I・一〇二)、取締役もこれと同時に終任となる。会社が破産により解散した場合については、判例は「取締役ハ破産管財人ノ権限ニ属スル破産財団ノ管理又ハ処分ヲ為スコトヲ得サルニ止リ、会社ノ破産ノ一事ヲ以テ当然取締役ノ資格消滅スト断スヘカラス」として、当然には退任しないと解している(大判大一四・一・二六【78】。同旨、神戸地判大二・七・二七新聞九一一・二三。なお後掲【82】も、当然には取締役たる資格が消滅しないことを前提としている)。もとより会社は破産による解散後も破産の目的の範囲内においてはなお存続し(破四)、その事務執行機関として取締役がなければならないから(破二九一参照)(同旨、大判大九・五・二九【79】、東京控判大二・一〇・三〇【80】)(取締役の存置を要する理由及びその範囲については【79】参照)、取締役の欠けているときは、破産手続中でも総会の決議をもってこれを選任することができる(同旨、大決大四・七・二六【81】、大阪控決大四・五・二一【82】)。しかし、破産会社に取締役の存置を要することと、会社の破産に際し破産前の会社の取締役がその資格を喪失しないこととは別個の問題であって、会社が破産により解散したときは、従前の取締役は当然に退任し(商二五四III、前商二五四II、旧商一六四II、民六五五)、破産会社は新たに取締役を選任すべきこととなると解しなければならない(西本・前掲四五、加藤・判例民事法大正一四年度一二、一五。ただし、会社の破産は取締役の終任事由にならぬとする見解もある、大隅・会社法の諸問題二三三）。そして右の場合にも商法第二五八条第一項（前商二五八Ⅰ、旧商一六七ノ二）の適用があり（大判六九・五・二九【79】もこの意味に解すべきである）、且つ必要があるときは、同条二項（前商二五八Ⅱ）により仮取締役の選任をなしうべきものと解すべきである（対照、商法二五八条二項の追加前の東京控判大二・一〇・三〇【80】）。なお会社の解散後会社継続の決議のあつた場合には、新たに取締役の選任を要することはいうまでもない（民事局長通達民甲七二号昭和二五・一・三〇登記研究二六・二三参照）。

【78】「株式会社カ破産シタルトキハ〈中略―本文中ニ引用〉、這ハ商法第二百二十六条第一項〈現四一七条一項〉ノ趣旨ニ依ルモ明ナリ。本件ハ上告人が甲株式会社ノ取締役タル資格ニ於テ原告ト為リ、同会社ニ対シ会社カ株主ニ為シタル失権通知ノ無効確認ヲ求ムルモノニ係リ、同会社ノ監査役乙カ右訴訟ニ付会社ヲ代表シタルニ、同会社ハ大正十二年七月十日破産ノ宣告ヲ受ケ被上告人破産管財人トシテ本件訴訟ヲ受継キタルモノトス。然ラハ本件ハ直接ニ破産管財人ノ権限ニ属スル破産財団ノ管理又ハ処分ヲ目的トスルモノニ非サルヲ以テ、右甲株式会社ノ破産宣告ニ因リ上告人ノ同会社取締役タル資格消滅スルモノトシ従テ上告人カ本件訴訟ノ提起ニ付其ノ適格ヲ有セサル旨判示シ、以テ上告人ノ本訴請求ヲ棄却シタル原判決ハ所論ノ如キ違法アルモノニシテ、論旨其ノ理由アリ。」（大判大一四・一・二六、民集四・一八評論一四商法七七）（評釈、加藤・判例民事法大正一四年度九、真野・法学志林二七・八〇三）。

【79】「株式会社ノ破産カ会社解散ノ原因タルコトハ商法第二百二十一条第一号第七十四第六号〈現四〇四条一号九四条五号〉ニ依リテ明白ナルモ、株式会社ノ解散後ニ於テ会社カ清算ノ目的ノ範囲内ニ於テハ尚ホ存続スルモノト見做サルルコトモ亦同第二百三十四条第八十四条〈現四三〇条一項一一六条〉ニ依リテ明白ナレハ、其準用ニヨリ、破産ニヨル会社ノ解散後ニ会社ハ尚ホ存続シ従テ取締役其他ノ会社機関ノ存続スルコトハ毫モ疑ヲ容レス。而シテ同第二百二十六条第一項カ破産ノ場合ヲ除外シタルハ会社ノ取締役ヲ存続セシメサル趣旨ニ非スシテ、普通ノ場合ニ於テハ取締役カ当然清算人ト為ルニ反シ此場合ニ於テハ破産裁判所ノ選定シタル管財人ニ於テ破産機関トシテ一切ノ清算事務ヲ処理スルヲ以テ、特ニ取締役ヲ清算人タラシ

ムル必要ナキニ由レリ。然レトモ、旧商法破産編第九百八十五条第三項ニ破産者ノ動産不動産ニ関スル訴及ヒ執行ハ特ニ管財人ヨリ又ハ管財人ニ対シテ之ヲ起シ又ハ継続スルコトヲ得トアルノミナラス其他ノ規定ヲ参照スルトキハ、破産者ノ財産権ニ関スル訴訟ニ於テハ破産管財人カ破産者ヲ代表スルモ、破産者ノ身分ニ関スル訴訟若クハ破産者自身ノ行為ヲ必要トスル場合ニ於テハ破産管財人カ破産者ヲ代表スルモノニ非サルコトヲ知リ得ヘシ。而シテ本件ノ如ク会社ノ設立無効即チ其法人格ノ存否ヲ争フ訴訟ハ自然人ノ身分関係ヲ争フ訴訟ト等シク財産上ノ請求ニ非サレハ、破産管財人ニ於テ会社ヲ代表スヘキモノニ非スシテ取締役ニ於テ之ヲ代表スヘキモノトス。然レハ上告会社ノ破産ニ依ル解散後尚ホ存続スル取締役甲ヲ上告会社ノ代表者トシテ提起シタル本訴ハ適法ナルヲ以テ、原判決ハ相当ニシテ上告論旨ハ理由ナシ。」（大判大九・五・二九評論九商法五〇二民抄録八八・二一四九）（評釈、竹田・法学論叢七・七一九、薬師寺・法学志林二三・四九四）。

【80】「破産ノ宣告ヲ受ケタル株式会社ハ破産ノ目的ヲ害セサル範囲ニ於テ其権利ヲ行使スルコトヲ得ヘキヲ以テ、其機関ハ破産ノ宣告アリタル後ト雖モ依然存続スト云ハサルヲ得ス。而シテ取締役又ハ監査役ノ欠缺アリタル場合ニ於テハ、商法第一条並ニ民法第五十六条ニ則リ裁判所カ仮代表者ヲ選任スヘク又ハ民事訴訟法第四十六条ニ依リ裁判所カ特別代理人ヲ選任スヘキ筋合ナリ。故ニ現ニ控訴会社ヲ代理スヘキ法律上代理人ナキ一事ハ、控訴会社ノ破産管財人ヲ以テ本訴ニ於ケル被告タル控訴会社ノ法律上代理人ト為スノ理由ト為ラス。」（東京控判大二・一〇・三〇評論二商法三六〇）（評釈、加藤・法学新報三〇・七・七三）。

【81】「会社カ協諧契約ノ当事者タルコトヲ得ルモノト為ス以上ハ、其会社ヲ代表スル者ハ株式会社ニ於テハ取締役タラサルヘカラス。従テ従前ノ取締役缺ケタルトキハ破産手続中ト雖モ株主総会ニ於テ取締役ヲ選任シ得ルモノト解セサルヘカラス。故ニ本件協諧契約カ破産宣告後招集セラレタル株主総会ニ於テ選任セラレタル取締役ヨリ提供セラレタルモノトスルモ毫モ不法ニアラス。」（大決大四・七・二六民抄録五九・一三一三三）。

【82】「破産会社ノ為メニ会社ヲ代表シテ協諧契約ヲ提供シ得ル権限ヲ有スルモノハ本件ノ如キ株式会社

ニ在リテハ取締役ヲ措テ他ニ之ヲ求ムヘカラサルヲ以テ、株式会社カ破産ニ因リテ解散スルモ、協諧契約ノ提供ノ如キ破産会社自カラ処理スヘキ事項ニ付テハ、取締役ノ資格ハ依然トシテ継続シ、会社ノ破産ニ因リテ当然消滅ニ帰スルモノニアラスト解スルヲ相当トスルト同時ニ、破産ニ因リテ会社ノ解散シタル場合ニ苟モ一定ノ範囲ニ於テ尚取締役ノ代表権ヲ認ムヘキモノトスル以上ハ、取締役ノ死亡解任其他ノ事由ニ依リテ更ニ新ナル取締役ヲ選任スルノ必要生シタルトキハ破産宣告後ト雖モ株主総会ノ決議ヲ以テ有効ニ其選任ヲ為スコトヲ得ヘキモノトスルハ、当然ノ論結トシテ是認セラルヘキ法理ナルノミナラス、〈後略〉。」（大阪控決大四・五・二一評論四商法二七〇）（評釈、加藤・法学志林一八・一一）。

四　取締役会議

一　取締役会の招集

（一）　取締役がその権限を行使するためには、法定の手続に従つて会議を開き決議をしなければならない。この会議は正確には取締役会議とよぶべきものであるが、わが商法はこれを取締役会とよんでいることは既述の通りであつて、以下においてもこの用例にしたがう。この取締役会は各取締役が招集するのを原則とするが、取締役会において招集をなすべき取締役を定めることができ（商二五九）、通常は定款又は取締役会規則をもつて取締役会長又は社長など特定の取締役に招集権を附与している（大隅・園部・前掲六五、大浜・前掲一〇五七）。取締役会を招集するには会日より一週間前に各取締役に対してその通知を発することを要するが、その期間は定款をもつて短縮することができる（商二五九ノ二）。旧法時代の判例によれば、招集の通知は開催の日時・場所・決議事項等を予め承認している取締役に対してこれを省略しうるはもとより（大判昭九・一一・二七【3】）、定款に別段の定めがない限り、かならずしも書面による必要はなく（大判昭五・四・二八評論一九商法三七三）、また会議の目的たる事項を通知する必要もないと解せられていた（東京控判大九・一一・二四前掲【5】事件評論九商法八一五参照）、しかし、これらの判例の見解は、既述のように、旧法においては法律上の制度としての取締役会はみとめられておらず、その結果定款上の取締役会も極めて緩い会議体として把握されていたことに起因するのであつて、現行法における取締役会に対してこれをそのまま及ぼすことはできない。現行法が取締役の権限を強化すると共に、その権限の慎重かつ適切な行使を確保するために取締役会の制度を採用したことに鑑みるならば、かかる立法の目的を達するため必要な限りにおいて、取締役の招集についても厳格に解することが要求せられる。したがつて、各取締役会があらかじめ通知を受ける権利を包括的に抛棄することは許されず、また少なくとも会議の目的たる事項が新株発行・社債募集・臨時総会の招集・取締役と会社との間の取引の承認など重要・非常的な場合には、通知は書面により且つ議題をも記載することが望ましく、定款又は取締役会規則にこれを必要とする旨の定めがあるときは、その定めに違反して招集された取締役会の決議は無効と解すべきである（なお大隅・大森・逐条改正会社法解説二五四、大隅・園部・前掲六七参照）。なお決議につき特別の利害関係を有するがため決議に加わりえない取締役も、議決権以外の参与権は失わないから、かかる取締役に対しても通知を要することはいうまでもない（通説であるが、なお大隅・大森・前掲二五三、二六二、松田・鈴木・前掲二七七、二八三、後掲【84】参照）。

（二）　取締役会の招集手続は、すべての取締役に会議に出席する機会を与えて、その意見を盡くさせることを目的とするものであるから、取締役全員の同意があるときは、招集手続を経ないで会議を開くことがみとめられている（商二五九ノ三）。いわゆる取締役全員の同意は招集手続を経ないで開催することについての同意であり、もとより事前になされなければならないが、取締役全員によるかかる事前の同意があるかぎり、開催された取締役会そのものには取締役全員の出席は必要でなく、正規の招集手続によつた場合と同様にその過半数が出席すれば足りることはいうまでもない。そしてこの同意は書面によることを要しないのはもとより、かならずしも明示的でなくとも差支えない（最判昭三一・六・二九【83】）（反対、田中・吉永・山村・コンメンタール会社法四九三）。この判決は、取締役全員が一緒になつて会社の業務につき協議決定した場合に関し、この事態のもとにおいては「商法二五九条の二の手続を省略する旨の明示の同意を必要とするものと解すべき根拠はない」とするものであつて、判例集掲載の判決要旨は「株式会社取締役の全員が会社の業務執行に関する事項につき協議決定したときは、たとえ取締役会の招集手続を経ない旨の明示の同意なしにその手続を経なかつた場合でも、当該決議につき取締役会の決議がなされたものと解すべきである」（民集一〇・六・七七四）としている。しかし、ほんらい取締役全員が会合し取締役として取締役会の権限に属する事項につき協議決定するときは、その会合はいわゆる全員出席会議として法律上当然に取締役会たるものとみとめられるべきであり、ここでは招集の観念を容れる余地がないと解せられるから（同旨、東京地判昭二八・一二・二八【86】）、明示にせよ黙示にせよあえて招集手続の省略についての全員の同意の有無を問う必要がないとしなければならない（反対、松田・前掲二〇四）。

　前述の判例（【83】）は、たまたま取締役全員が出席した場合に関しているため、一部の取締役が欠席したまま会議が開催せられる場合にも黙示の同意で足りるとする趣旨か否か必ずしも明らかでないが、いやしくも全員の同意があるとみとめられる以上は、その同意の明示たると黙示たるとを区別すべき理由はないであろう。ただ明示の同意によらないときは、実際上同意の有無につき争いを生じやすく、且つかかる場合に同意のあつたことを立証するのが困難なだけである。かように取締役会の招集手続は取締役全員の同意があればこれを省略しうるのであるが、「このことは取締役会の招集手続の省略について一部の取締役の同意を得なかつた場合に、右の者が出席協議しても当該取締役会の議決の結果に何らの影響を及ぼさないものと認めるに足る事情のあるときは、その同意を得ないで取締役会を開いた瑕疵は決議の効力には影響を及ぼさないものと解する根拠を与えるものである」（東京高判昭三二・一一・一五【84】）とすることにはならない。これをみとめるならば、過半数の取締役が他の取締役の同意なくして会合し、その全員一致をもつてなした決議は多くの場合有効な取締役会の決議となるという不当な結果を生ずるであろう。

【83】「原審は、本件約束手形二通の振出、裏書は、上告人会社の取締役三名の全員同意の上、協議して為された事実を確定し、適法に取締役会の承認を得たものと判示したのであつて、右の判断は正当である。特に、所論のように、商法二五九条の二の手続を省略する旨の明示の同意を必要とするものと解すべき根処はない。又本件協議において、各取締役に取締役会たる認識のなかつたことは原判決の確定せざるところである。」（最判昭三一・六・二九民集一〇・六・七七六）（評釈、大隅・民商法雑誌三五・一〇六、白川・法学協会雑誌七四・五三五）。

【84】　本件では、一取締役が会社に対して金銭の貸付をなし、残余の取締役全員（事案では取締役の権利義務を有する退任取締役を含む二名）が会社事務所において当該債務の認否につき協議し、本件貸借を承認したが、裁判所は、「その承認は当該契約自体の法律上の要件であるから、右契約は被控訴人〈当該会社〉の取締役会の承認のない限りその効力を生じない」との立場から、取締役会の承認の有無について判断している。

「三名の取締役中二名が会合し、会社の債務の認否に関して協議し、前認定のような承認をした場合にその承認に取締役会の承認としての効力を認めることは絶対にできないものであろうか。当裁判所は結論を先にいえばその会合を取締役会と見ることが可能であり、且つこれが招集手続に絶対的不法原因のない限りその承認に取締役会の承認としての効力を認めることは不能でないばかりでなく、その効力を認めるのが相当であると考える。それで本件では先ず前段認定の会合を以て取締役会と目し得るものであるか否かが問題であるが、先に認定したように右会合で本来取締役会の議題たるべき本件貸借の承認を含む被控訴人の債務の認否が協議されたことに徴して当裁判所はその会合はこれを以つて取締役会と認めて差支ないものと考える。次に本件を通じて前記会合について取締役会招集の手続がとられたことを認めるに足る証拠はないが、商法の規定によれば取締役会招集の手続は取締役全員の同意があればこれを省略することができるのであり、そして〈中略―本文中に引用〉。ところで控訴人は元来本件貸借については貸主であつて、利害関係人として取締役会の議決権を行使し得ないものであり、しかも前認定のように爾余の取締役の間で一致してこれを承認しているのであるから控訴人が出席して意見を述べたとしても、その結果に影響を及ぼしたとは考えられない。それ故前記会合が取締役会の招集手続を完備していなかつたことはその会合における決議を取締役会の決議とすることを妨げないものと解するのが相当である。そうすると前認定の本件貸借の承認は被控訴人の取締役会の承認として有効であり右契約はこれによつて有効となつたものとする外はない。」(東京高判昭三二・三六・一一・一五判時一二八ジュリスト一四七・九三)。

(三)　取締役会が招集権のない者により招集せられた場合はもとより、取締役全員の同意がある場合を除き、招集手続なくして開催せられた場合は、取締役会としては法律上不存在であり、したがつてその決議の不存在を主張することができる。また一部の取締役に対する招集通知の欠缺その他招集手続に瑕疵があつた場合においても、その取締役会の決議は無効とならざるをえないが(東京控判明四五・五・一八【1】、大阪地判昭

(二九・八・一〇【88】)、取締役全員が会議に出席し且つ異議を述べないかぎり、その瑕疵は治癒せられる(通説)。嘗て判例は、通知を受けない取締役が出席しても決議に影響がなかつたと思われる事態のもとにおいて、特定の取締役に通知がなく、且つその者の出席なくしてなされた取締役会の決議の効力につき、これを「当然無効ノモノト解スヘキ根拠アルコトナク、唯其ノ通知ヲ怠リタル取締役ハ会社ノ内部関係ニ於テ其ノ責ニ任スヘキニ過キサルモノ」と解したが(大判昭一一・五・二【85】。同旨、東京地判昭一二・一・二五評論二六商法二四三)、かかる見解は取締役会なる会議体の制度を法定していなかつた旧法上においても批判をまぬがれえなかつたところである(一〇頁参照)。同様に、一部の取締役に対して通知もれがある以上、たといその通知を受けなかつた取締役を除外してなお定足数をみたしている場合であつても、決議は無効と解しなければならない(同旨、大浜・前掲一〇五八)。尤も、通知を受けなかつた取締役が出席しても決議の結果に影響がないことが証明されるときは、その決議に対する無効の主張は権利の濫用として許されないとする見解があるが(松田・鈴木・前掲二七六、大浜・前掲一〇五八)、常にそういえるかどうか疑問の余地がないではない。

【85】　「凡ソ取締役会開会ノ場所乃至手続ニ付定款ニ別段ノ定ナキ限リ、縦令取締役会ヲ特ニ右判示ノ如キ場所〈東京市新橋駅楼上食堂〉ニ秘密裡ニ開キテ決議スルモ、之カ為其ノ決議カ定款所定ノ取締役会ノ決議トシテ為サレタルモノト認ムルニ十分ナラスト云フヲ得サルヤ勿論ナルノミナラス、取締役ノ一人欠席ノママ他ノ取締役ノ総員会合シテ決議ヲ為シタル場合ニ於テ右ノ一人ニ対シ其ノ会合ニ出席スヘキ旨ノ通知ヲ為ササリシトスルモ之カ為右ノ決議ヲ以テ〈中略―本文中ニ引用〉ト解スルヲ相当トス。」(大判昭一一・五・二二民集一五・七六一評論二五商法三四〇新聞四〇一九・七)(評釈、竹田・民商法雑誌四・八六四、大森・商事法判例研究一・一六六、石井・判例民事法昭和一一年度一八二)。

なお近時の下級審の判決には、「取締役職務代行者を兼ねていない代表取締役職務代行者は、取締役会の決議に加わる権限を有しないから、その者に対し取締役会の招集通知を欠き、したがつて出席なくして取締役会が開かれたとしても、その取締役会における決議は無効といえない」とするものがある（東京地判昭二八・一二・二八【86】）。しかし、代表取締役の地位の独立性を強調するのに急なるあまり、取締役職務代行者の資格を兼ねていない代表取締役職務代行者なる地位をみとめ、この者が取締役会の決議に加わる権限を有しないと解するのは、明らかに不当といわなければならない（同旨、田中・前掲会社法二六六）。代表取締役なるものは、取締役たることを前提とするものだからである。

【86】　「昭和二十七年十二月二十六日午後四時開かれた本件取締役会は、代表取締役職務代行者の任を退いた訴外甲の退任の挨拶をうける為参集した在任取締役全員において、法律上の招集手続を経ることなく、同年十二月八日乙退任後欠員中の代表取締役選任の為即時これを開くことに同意し、開かれたものである〈中略〉。元来、取締役会が右に認定したように、全員の同意の下に法律上の招集手続を経ることなく、開かれる場合には招集の観念を容れる余地がないから、これを招集権限及び招集手続の欠如を以て批難することは許されない。又〈中略―本文中に引用〉。尤も定款又は取締役会の定によつて代表取締役が取締役会の議長となる者に定められている場合には、代表取締役職務代行者は、その権限を行使するため取締役会に出席する権限を有するけれども、取締役会の議長は、定款その他の定にかかわらず、その都度取締役会において選定しても違法とはいえないと解するを相当とするから、仮処分執行取消決定の効力がこの取締役会前に生じたと否とにより、本件取締役会の決議の効力に影響を生ずることがない。」（東京地判昭二八・一二・二八下級民集四・一二・二〇一四）。

二　取締役会の議事

（一）　取締役会の決議は、取締役の過半数が出席し（定足数）、その取締役の過半数をもつてなすのが原則である（商二六〇ノ二Ⅰ本文）。　右の定足数は会社に現存する取締役の数を基礎として算定すべきことはいうまでもないが、その数が法律又は定款所定の員数の最低数を下るときは、その最低数を基礎として計算すべきである（大隅・園部・前掲七五）。そして右の定足数の算定の基礎となるべき取締役は、現に職務を行うべき資格がある取締役であることを要し、職務執行停止中の取締役（商二七〇Ⅰ）は除外せられるとともに、職務代行者（商二五八Ⅱ商二七〇Ⅰ）及び取締役としての権利義務を有する退任取締役（商二五八Ⅰ）は算入せられる。この点に関する直接の判例はないが、これを前提としてなされた判決は少なくない（東京控判明四五・五・二七新聞八〇四・二五では、取締役三名中一名が取締役会に出席したが決議前に辞任し、残りの二人の一致による決議がなされたが、この決議を法定の員数を欠く取締役によつてなされた無効のものとなしえないとされた）。　また、右の決議要件は定款をもつて加重することは差支えないが（商二六〇ノ二Ⅰ但書）、これを軽減することは許されない。そこで、「取締役会の決議は総取締役の過半数が出席し出席取締役の過半数をもつて決し、可否同数のときは議長の決するところによる」との取締役会規則のもとに、議長が重ねて議決権を行使することをみとめるのは、法定の決議要件を緩和するものであつて許されないとする見解がある（大阪地判昭二八・六・一九【87】）。これによれば、右の取締役会規則は「可否同数の場合で、従つて原案賛成が過半数に達しないに拘らず、尚且議長の意見に応じて決議成立の効果を認め得る余地を作る趣旨に出でたものである」というのである。この事案は、取締役会の決議をもつて定める取締役会規則により、可否同数のときに議長に決定権を与えた場合に関するから、その規定内容自体の適法違法の問題をはなれても、取締役会の権限を逸脱した決議として、右の取締役会規則の定めは無効といわなければならないが、同一の定めが定款をもつてなされたときは、問題である。上述の判決は直接この場合に言及していないが、学説上は二つの見解が存する。一は、上述の判決と同一の理由をもつて、定款の規定によるも可否同数の場合における決定権を議長に与えることを違法とする立場であり（田中・前掲会社法二三六、西本・前掲六八）、他は、かかる定めは決議要件の緩和の問題ではなく、取締役会なる会議体の性格からいつて、株主総会におけると異なり、定款によるならば、その定めをなすことを妨げないとする立場であつて（大隅・前掲二二九、大森・前掲一八一、松田・鈴木・前掲二八二、石井・商法Ⅰ三〇七）、後の説が有力であるといえる。決議要件の軽減と異なり、これを加重することは差支えないが、この場合でも、社長ないし代表取締役に実質上拒否権を与えるような定款の規定は無効と解せられる（同旨、松田・鈴木・前掲二八二）。なお、取締役会の議長は、定款その他の定めに拘らず、その都度取締役会において選定しても違法ではない（この点では同旨、東京地判昭二八・二二・二八【86】参照）。

【87】　裁判所は、可否同数の場合に原案が廃案又は保留となることは事業の進捗に妨げとなるから議長をして決せしめることは商法二六〇条ノ二に違反しない等の抗弁を退け、次のように判示している。

「商法第二百六十条ノ二第一項の法意は定款の規定を以て決議成立の要件を加重した場合は別問題として通常は取締役の過半数が出席して其の過半数を以て決することを要求するものであつて、此の要件を更に軽減することは許されないものと解すべきである。然るに本件取締役会規定第八条は∧中略—本文中に引用∨から、商法の右の規定に反して決議要件を緩和するものであつて許されないものと謂うべく、之に反する被告の見解は採用出来ない。従つて本件取締役会の決議は此の点に関する原告の其の余の主張に付て考える迄も無く、其の決議方法に瑕疵があるものとして当然無効と認むべきである。進んで新株の発行に関しての被告の主張に付考えると、本件取締役会決議に基いて八千株の内五千株の発行を終つた事実は当事者に争の無いところであり、而して取締役会の決議は会社の内部的の意思決定に過ぎないものであるから此の決議の効力と之に基いて為された会社の対外行為の効力とは別に考えねばならぬことは勿論である。従つて新株発行に付ての取締役会の決議は無効であつても、之に基いて為された新株の発行は有効と謂わねばならない。併し乍ら其の故に直ちに本件取締役会決議の無効確認の利益が無いと謂うべきではない。」（大阪地判昭二八・六・一九下級民集四・六・八九〇）。

取締役としての職務を行うべき資格を有しない者が取締役会の決議に加わった場合においても、その者を除外してなお決議要件がみたされる限り、取締役会の決議としての効力を妨げられないものと解すべきである（大判昭七・六・一七裁判例六民一九〇は、使用人に対する退職手当の支給には取締役会の決議を要する旨の内規がある場合に、取締役・監査役各一名から成る重役会の決議をもつては取締役会の決議となしえないとし、大阪地判昭六・一〇・一評論二〇商法六五六は、総会の仮決議により選任された者と取締役一名とで構成された取締役会の決議にもとづいてなされた株金払込催告を無効とした）。同様に、特別利害関係人として議決権を行使しえない取締役が決議に加わった場合にも、その取締役の議決権を除いてなお決議の成立に必要な多数が存するときには、決議の効力に影響がないと解すべきであるが（同旨、大隅・園部・前掲七六、西本・前掲七一）、これをもつて直ちに決議の無効原因とみとめた下級審の判決がある（下関支判昭二九・五・七昭和二七年（ワ）第一五七号商法判例総覧三会社下七三二、大阪地判昭二九・八・一〇【88】）。なお、取締役会において取締役が他の取締役を代理して議決権を行使しうるか否かにつき、商法又は定款に禁止規定のないかぎり、一般原則に従い議決権の代理行使を委任しうると解した旧法時代の判決があるが（東京地判大一四・七・二三評論一五商法二三）、現行法の下では、取締役会の招集手続につき厳格性を要求するのと同じ意味において（九〇頁参照）、許されないものと解すべきである（なお、阿川・商事法務研究五一・一九参照）。（註）その他、取締役会の決議方法に関する旧法上の判例に対する評価については既に述べた（旧法上における定款上の取締役会の項参照）。

【88】「訴外会社は本件物件を取締役である訴外甲に譲渡することにつき取締役会の承認を求めるため昭和二十七年八月三十日取締役会を招集したのであるが、当時未だ辞任していなかつたと見るべき取締役乙に対し何等招集の手続をなさず他の取締役たる丙と同甲の二人で承認の決議を為したものであることが認められる。そうすると右取締役会は一には取締役乙に対し適法の招集手続を為していない瑕疵があり、二には商

法第二百六十条の二第二項の準用による同法第二百四十条第二項第二百三十九条第五項による特別利害関係人として議決権を行使し得ない訴外甲が議決権を行使している瑕疵があり、いづれも取締役会の決議無効原因と解するを相当とするが故に右取締役会承認の決議は到底無効と断ぜざるを得ない。従つて訴外丙が訴外会社の代表者として訴外甲との間に締結した前記本件物件譲渡契約並賃貸借契約は無権代理行為としての効力を有するに過ぎない。＜中略＞結局右契約は訴外会社の追認を欠き従つて無効に終つたものと結論せざるを得ない。」（大阪地判昭二九・八・一〇下級民集五・八・一三〇九）。

（註）　会議体としての取締役会自体の内部において委員会を設け（取締役会委員会と称すべきもの）、取締役会の決議事項につき立案・調査・整備等をなさしめ、委任された事項を審議・報告せしめることはさしつかえないが（大隅・園部・前掲三二五参照）、取締役会の決議を要する事項につきその決定をもこれに委ねえないことはいうまでもない（なお、株主総会内部の特設委員会に関する名古屋地判大一四・四・二八【14】対照）。

（二）　取締役会の決議につき特別の利害関係を有する取締役は、議決権を行使することができない（商二六〇ノ二Ⅱ・二三九Ⅴ）。かかる取締役も定足数には算入せられるが、その議決権は多数決算定の基礎となるべき「出席取締役の議決権の数」からは除かれる（商二六〇ノ二Ⅱ・二四〇Ⅱ）。取締役に対する会社財産の譲渡並びに賃貸借の承認（大阪地判昭二九・八・一〇【88】）・取締役から会社に対する金銭の貸付についての承認（東京高判昭三二・一一・一五【84】）などの取締役会決議において、その相手方たる取締役が決議につき特別の利害関係を有するものと解せられることには異論がないが、取締役が各種の会社法上の訴につき取締役たる資格で訴の原告となつた場合における会社代表者の選任・取締役に対する新株の割当・各取締役に対する報酬の配分・代表取締役ないし業務執行取締役の選任又は解任などの場合にも、いわゆる特別の利害関係人とみとめられるか否かが問題となる。右のうち取締役に対する新株の割当については、取締役中の一人に対して新株全部の割当を定めた取締役会の決議に当該取締役が加わった事例において、特別利害関係人が参加したものとしてその決議を無効とみとめた判決がある（下関支判昭二九・五・七（前出九八頁）。なお、東京地判昭二八・二・三経済法律時報一・三七は、取締役が一面取締役会の構成員として新株引受権の付与を決定し、他面定款に定められた新株引受権を有する第三者たる役員として新株引受権の付与を受けても単にそれのみでは不公正な方法による株式の発行ではないとする）。また報酬配分決議については、商法第二六〇条ノ二第二項の規定の趣旨は「会社または取締役会と相対立する利害関係のある特定の取締役の議決権を排除して、取締役会における決議の公正を担保しようとするのがそのねらいである」が、総会が報酬の総額を定めて取締役各自に対する支給額の決定を取締役会に一任した場合には、「取締役全体の一般的事項を議するものであって、ある特定の取締役にのみ関する事項を議決する場合にみられるような利害が対立するものではないから、決議の公正を害するものとすることはできない」として、いわゆる特別の利害関係を否定した判決（名古屋高判昭二九・一一・二二【52】）や、右の規定は「会社の利益が侵害されることを妨ぐ担保的規定」であるから、総会が監査役の報酬をも含めて総額又は限度額を定め、その配分を取締役会に一任した場合には、「性質上当然適用がない」とする判決（大阪地判昭二八・六・二九【47】）が見られる。いずれも結論的には正当であるが、その理由は不十分である。この場合いわゆる特別の利害関係とは、取締役としての任務と矛盾衝突しうべき個人的な利害関係を意味するものと解しなければならない。けだし、取締役会の決議につきいわゆる特別の利害関係を有する取締役がその決議につき議決権を行使しえないのは、株主総会において決議につき特別の利害関係を有する株主が議決権を行使しえないのとは異なり（商二三九V参照）、単に決議の公正をはかるための会議体一般の原則にもとづくよりは、むしろ会社のために任務を負う取締役の忠実義務を根拠としているのであり、このような取締役の地位そのものにもとづいてみとめられているものだからである（いわゆる取締役の忠実義務については、大阪谷・株式会社法講座三・一一一七、山口・法学論叢五八・三・六八参照）。かように、いわゆる特別の利害関係が取締役としての任務と矛盾衝突しうべき個人的利害関係を意味すると解するときは、会社と取締役との間の取引の承認・個人としての資格における取締役に対する訴訟の提起、その代表者の選任などを決議事項とする場合には特別の利害関係がみとめられるが、代表取締役の選任又は解任の場合は勿論、会社に不利益を及ぼしうべき内容の総会決議に対して取締役として無効確認を求める訴を提起したときにおける会社代表者の選任などの場合には、特別の利害関係は存しないものと解しなければならない（反対、民事局長回答昭和二六・一〇・三登記研究四六・三〇は、代表取締役を解任する場合その取締役は定足数には算入されるが、議決権を行使しえないから、議決権の数には算入されないとする）。そして前述の判決（名古屋高判昭二九・一一・二二【52】）の事案におけるように、株主総会が取締役全員の報酬総額のみを決定し、取締役各自に対する支給額の決定を取締役会に一任した場合における取締役会の配分決議は、これを取締役会の業務執行とみることもできるが、また総額につき確定している会社に対する取締役全員の報酬の内部的配分事務と解することもできる。大審院が、株主総会の授権決議により特定されていない限り、当然に取締役会の多数決により議決さるべきものとしているのは、報酬配分決議を業務執行事項と解しているようにおもわれるが（大判昭七・六・一〇【53】参照）、しかしこの見解をとるにしても取締役が特別利害関係人となるものと解することはできない。けだし、この場合すべての取締役が共通の利害関係を有し、しかもそれ以外に議決権を有する者はいないからである。その点は、総会の定めた報酬総額中に監査役の報酬を包含している場合でも異ならない。いわんやこの場合における配分の決定を取締役の間の内部的な問題と解するならば、いわゆる特別の利害関係人の議決権の排除の問題を生ずる余地さえもないのである。なお上述の場合において、各取締役に対する報酬の配分を取締役会の決議により一任せられた取締役が自己の受くべき報酬額をみずから決定しても、商法第二六五条の定めるいわゆる自己取引には該当しない（最判昭三一・一〇・五【51】）。けだし、この場合における報酬額の決定は事の性質上いわゆる会社との間の取引とはいえないからである。なお前述の判決（下関支判昭二九・五・七）において、新株全部の割当を受けた取締役が取締役会の新株発行決議に加わったことが特別利害関係人の決議参加として取扱われたのは、当該取締役が新株引受権を第三者としての自己に付与したもの（昭和三〇年改正前商法一六六条五号参照）とみとめられるからにほかならないのである。

（三）　いったんなされた取締役会の決議をその後の決議をもって撤回することは差支えないが、しかしその決議によりすでに他人の権利義務に変動を生じ、又はその決議が実行に移されたときは、もはや撤回をなしえないか又は撤回の決議のみをもって直ちにその事項の消滅の効果を生ぜしめうるものではない。判例は、旧法上における取締役会の株金払込の決議に関し、その「実行（事案では旧商一五二Ⅰの株金払込の催告）完了セサル間ハ」その後の取締役会において自由に「変更又ハ取消ノ決議」をなしうるとして、後の決議をもって変更せられた株金払込の催告の効力をみとめたのみならず（大判昭六・四・二八【89】）、すでに払込の催告をなし、且つその払込期日も経過した後であっても、株主が払込をしない間は、「右各株金払込請求債権ニ付第三者ニ利害関係ヲ生セシメサル限リ、取締役ニ於テ右払込ノ決議ヲ取消シ各株主ニ其ノ旨ノ通知ヲ為シタルトキハ、各株主ニ対スル払込請求債権ハ消滅スルニ至ル」と解していた（大判昭一二・六・一二民集一六・七七七【90 a】（評釈、竹田・民商法雑誌六・一一九二、大隅・法学論叢三七・九一四、田中(誠)・判例民事法昭和一二年度一九九）。しかし、株金払込の催告なる決議の実行により既に催告の効力が発生した後は、当該払込決議の撤回をもって直ちに会社の払込債権の消滅の効果を生ぜしめることはできないといわなければならない（前掲【90 a】評釈参照、いずれも判旨に反対）。同様に、株主総会の招集の決議にもとづき招集通知の発せられた後においては、単にその撤回又は変更の決議をもって招集の中止又は延期の効果を生ぜしめ、当該招集通知にもとづき開催せられた総会の決議を不存在による当然無効のものとなしえないことはいうまでもない（東京地判昭一一・一二・一八【90】対照）。ただし、いったん総会招集の通知を発した後でも、その招集を撤回し又は会日の変更をなしえないわけではないが、そのためには取締役会において招集の撤回又は変更の決議をなすと共に、招集の場合に準じて株主に対してその旨の通知をなさなければならない（【90】参照）。そして正当な事由なくしてかかる措置をとったときは、取締役の責任を生ずることがあるのを免れない。

【89】　「原審ノ確定シタル事実ニ依レハ、被上告銀行ハ大正十五年五月二十五日ノ取締役会ニ於テ株主ニ対シ第二回払込トシテ一株ニ付金二十五円宛ノ払込ヲ為サシムル旨ノ決議ヲ為シタル後、更ニ昭和三年八月六日ノ取締役会ニ於テ株主ニ対シ一株ニ付三十七円五十銭ヲ〈中略〉三回ニ分割シ毎回金十二円五十銭宛ノ払込ヲ為サシムヘク決議シ、其旨各株主ニ対シテ之カ通知及催告ヲ為シタリト云フニ在ルヲ以テ、前ノ取締役会ノ決議ハ之ヲ取消シ後ノ取締役会ノ決議ニ因リ被上告銀行ハ上告人等ニ対シテ本訴請求ノ株金払込ノ催告ヲ為シタルコト明ナリ。果シテ然ラハ該株金払込ノ催告ハ有効ナリト謂ハサル可カラス。蓋取締役会ニ於テ為シタル決議ハ之カ実行完了セサル間ハ、株主総会ノ決議ノ有無ニ拘ラス、其ノ後ノ取締役会ニ於テ自由ニ変更又ハ取消ノ決議ヲ為スコトヲ得ヘケレハナリ。」（大判昭六・四・二八評論二〇商法三九〇）。

【90】「昭和十年八月十五日ノ原告会社臨時総会ニ於テ訴外甲、乙及丙ノ三名カ取締役ニ選任セラレ其ノ就任登記ヲ経タルコト及右臨時株主総会ハ原告会社ノ当時ノ取締役ナリシ丁ノ招集シタルモノナルトコロ、同人ハ其ノ開催ニ先立チ同月十二日前示招集ヲ中止スル旨ノ通知ヲ為シタルニ拘ラス、同月十五日一部株主会合シテ臨時株主総会ナリトシ前示ノ如キ取締役選任ノ決議ヲ為シタルモノナルコトハ当事者間ニ争ナキトコロナリ。而シテ株式会社ニ於テ其ノ取締役カ一旦株主総会ノ招集通知ヲ発シタル場合ト雖都合ニ依リ其ノ株主総会ノ招集ヲ中止シ又ハ延期スルカ如キコトハ会社取締役ノ権限トシテ法律上許容セラルルモノト認ムヘキヲ以テ、前示臨時株主総会ノ招集ハ適法ニ中止セラレタルモノト謂フヘク、従テ昭和十年八月十五日ノ臨時株主総会ナルモノハ招集ナキニ拘ラス株主ノ一部カ会合シタルモノニシテ固ヨリ適法ナル株主総会ト謂フヘカラス。即チ右臨時株主総会ナルモノハ全然存在セサルモノニシテ、従テ前示甲外二名ハ適法ニ取締役ニ選任セラレタルモノニ非ス。換言セハ全然取締役ニ就任シタル事実ナキモノトス。」（東京地判昭一一・一二・一八新聞四一〇二・一九）。

（四） 取締役会の議事については議事録を作成することを要するが（商二六〇ノ三）、その記載は取締役会における議事経過の証拠たるにすぎなく、議事録の作成の有無は決議の効力には影響はない。そして取締役会の決議録に監査役の署名がなされていたとしても、それでもつて直ちに監査役が決議に加わつたものとみることはできないであろう（東京地判大一二・五・一評論一二商法二四七、東京地判大一二・五・三〇評論一二商法三一三参照）。なお、共同代表廃止の登記申請にあたり、その申請書に添付された取締役会の議事録の記載からみて、共同代表を廃止する決議をなした取締役会の定足数が不足し、その不成立なることが明白である場合には、登記官吏はその審査権の行使により当該申請を却下すべきであろう（大阪法務局決定昭三二・三・一五【91】。代表取締役解任の登記申請につき同旨、民事局長回答昭和三二・三・一二商事法務研究五八・二四）。もちろん登記官吏の審査権は決議の実質的成立関係にまでは及ばないが（大決・大七・一一・一五【33】）、議事録の記載により明らかに取締役会の定足数の不足していたことがみとめられる場合にその登記申請を拒否することは、登記官吏の審査権の範囲に属するものと解せられるからである。

【91】「登記官吏は、取締役会の決議に基いて登記申請があつた場合、その決議が商法第二百六十条ノ二の規定に適合する有効のものであるかどうかを登記申請書添付の取締役会議事録を形式的に審査し、無効のものであれば、登記申請を却下する職務権限を有することは異論のないところである（非訟事件手続法第百五十一条参照）。そこで記録を調査すると異議申立人主張どうりの事実が認められる。そうすると取締役会に取締役四人中二人の出席では取締役会が成立しないことは前叙のとおり商法第二百六十条ノ二の規定に徴して明白であつて、その出席取締役による共同代表に関する規定の廃止、並に代表取締役甲解任の決議は当然無効である。登記官吏がこの点を看過して、その決議に基く登記申請を受理して登記したことは不当であつて、その登記は非訟事件手続法第百五十一条ノ二にいわゆる商法の規定によつて許すことができないものである。」（大阪法務局昭三二・三・一五判時一一七・一七）。

五　取締役会の権限とその委譲

一　総　説

商法は会社の業務執行は取締役会が決する旨を定めている（商二六〇前段）。これは業務執行の権限が取締役会に属することを明かにしているものにほかならない。いわゆる取締役会とは会社の取締役の全体の意味であつて、業務執行の権限が取締役会に属するとは業務執行の権限が全体としての取締役に合有的に属する意味にほかならない。この全体としての取締役がその権限を行使するには必ず一定の手続により招集された会議における決議の方法によることを要するから、全体としての取締役を会議体としてとらえて、これを取締役会というのにほかならない。

ところで、会社の業務執行とは会社の諸般の事務を処理することをいい、異論は多いが、会社の営業に関する行為たると会社の組織又は営業の基礎に関する行為たるとを問わず、また会社内部における事務処理たると外部に対する代表行為たるとを問わない。また会社業務の執行は会社の機関的活動であるから、いわゆる事務処理は意思決定的要素を包含する裁量的行為であつて、他の機関の決定したところに従い機械的に行動することは本来の業務執行ではない。したがつて、取締役会の決議にもとづく株金払込請求に関する一切の行為を禁止する旨の仮処分が業務執行取締役に対してなされた事案において、右の職務執行停止の仮処分決定の送達前すでに当該取締役が事務員に命じた事項（株金払込の催告手続）については、事務員が仮処分決定の送達後に当該取締役名義でそれを実行（右催告書の発送）しても、その命令は会社の命令であり、その命令に従つて発送せられた催告書は会社の催告書なのであるから、右催告書による催告は会社の行為としての効力を有するとみとめられる（大判昭一九・八・一八【92】）。そして、法令又は定款をもつて特に株主総会の決議によるべきことを要求せられている事項を除き、会社の業務執行はすべて取締役会の権限に属している（商二六〇前段、二三〇ノ二参照）。尤も、取締役会はすべての業務をみずから執行することを要するわけではなく、その権限の一部を取締役会の構成員たる個々の取締役に委譲することをうるのであつて、重要な業務の執行ないしその大綱の決定は自己に留保しつつ、経常的業務の執行ないし重要な業務の細目的な執行を個々の取締役に委ねることを妨げない。のみならず、商法は、一方において一定の事項については必ず取締役会の決議によるべき旨を定めてその委譲の範囲を限定すると同時に（商二三一、二六〇後段、二六五、二六一ノ二Ⅰ、二八〇ノ二、二九三ノ三ⅠⅡ、二九三ノ四、二九六）、他方において一部の業務は当然これを一人又は数人の取締役に委譲すべきことを予定している。法が会社は取締役会の決議をもつて会社を代表すべき取締役（代表取締役）を定めなければならないとしているのは（商二六一Ⅰ）、これを会社代表の面から規整したものにほかならない。そして取締役会による権限の委譲は、かならずしも個別的・特定的になされる必要はなく、むしろその決議又はその決議をもつて定めた業務規則（取締役会規則・職制規程など）によつて一般的・包括的になすことができる（大浜・前掲一〇五五、鈴木・前掲一二八参照）。また取締役会から業務執行の権限の委譲を受ける取締役には、会社代表権を有するもの（代表取締役）とこれを有しないものとがある。前者は対外関係を伴なう業務執行をなす権限をも与えられているのに反し、後者は内部的な業務執行に関する権限の委譲を受けているのにすぎない（同旨、野津・株式会社法講座三・一〇九七、田中・前掲会社法二七二、西原・会社法二〇八、服部・会社法提要二一二）。これを業務執行取締役という。広義においては代表取締役も業務執行取締役であり、且つ常に業務執行取締役であるが、業務執行取締役はかならずしも同時に代表取締役であるとはかぎらない。取締役会長・専務取締役・常務取締役などの名称を有する取締役であつて、代表取締役でないものも存する（商二六二、前商二六二）。実際上は、会長・社長・副社長・専務取締役・常務取締役などの設置は会社の定款をもつて定め、且つその選任を取締役会の決議に委ねているのが普通であるが、定款に規定がない場合に、取締役会の決議又は取締役会規則をもつてその設置を定めることも妨げないであろう。代表取締役又は業務執行取締役が数人ある場合においては、その間に上下統率の関係又は業務の分担を定めることができるのはもとより、一定の事項に関しては業務の分担を定めると同時に他の事項に関しては、数人の合議によるべきものと定めることもできる。

【92】「然レトモ若シ前記仮処分決定送達前既ニ甲カ前記銀行ノ取締役トシテ銀行事務員ニ右催告書ノ発送ヲ命シタルモノナリトセハ、其ノ命令ハ即チ銀行ノ命令ニ外ナラスシテ右決定送達後ニ於テハ甲ハ該命令撤回ノ権限モ無ク、事務員カ該命令ニ因リ右催告書ヲ発送シタルハ縦令前記仮処分決定ノ送達後ニシテ且其ノ催告書ハ取締役甲名義ニテ作成シ発送セラレタルモノナリトスルモ、仍ホ銀行ノ催告書タルヲ失ハサルモノト云ハサルヘカラサルニ拘ラス、原審カ銀行事務員ニ甲ノ命シタルハ仮処分決定ノ送達ノ前ナルカ否カヲ審理スルコトナクシテ只其ノ催告書ハ甲名義ニテ右決定送達後発送セラレタルモノナルノ故ヲ以テ其ノ催告書ニ依ル催告ヲ無効ノモノト為シタルハ、法ノ解釈ヲ誤リテ審理不盡理由不備ノ違法アルモノト云フヘク、〈中略〉原判決ハ到底破毀ヲ免レサルモノトス。」(大判昭一九・八・一八民集二三・五一〇)。

取締役会は業務執行取締役に委ねた事項につき監督・是正の権限を有するのが当然であつて、この権限を行使して業務執行取締役に対し必要な報告を求めたり、必要な指示を与えることをうると同時に、業務執行取締役の行為についても監督上の責任を免れることができない。判例(大判昭八・二・一四【93】。同旨、山口地判大六・三・八評論七商法五九三、大阪地判昭九・五・三一評論二三商法四六三)は、定款をもつて会社の業務を専決執行すべき取締役を定めた場合における他の取締役の責任に関して、次のように述べている。

【93】「会社ノ定款ヲ以テ取締役中会社ノ業務ヲ専決執行スヘキ者ヲ定メタルトキト雖、其ノ余ノ所謂平取締役ハ商法第二十六条第百九十条第百九十一条〈現三三条三四条二八一条二八三条〉ニ依リ真実ノ記載アル財産目録貸借対照表ヲ監査役ニ提出スヘキ責務ヲ免ルヘキモノニ非ス。蓋右定款ノ規定ハ数人ノ取締役相互ノ内部ニ於ケル事務分配ヲ定メタルニ過キスシテ、取締役カ法律ノ特別規定ニ基キ其ノ資格ニ於テ会社ニ対シ負担セル責務ヲ免レシムルモノニ非サレハナリ。故ニ原判決カ平取締役タリシ上告人甲ニ前記法律ノ規

定ニ依ル責務ニ違反セル行為アリト為シタルハ違法ニ非ス。」（大判昭八・二・一四民集一二・四三七評論二三商法四一一）（評釈、田中（誠）判例民事法昭和八年度一一四）。

尤も、このように業務執行取締役に委ねた事項につき、取締役会の一員としての取締役に対して要求せられる注意の程度は、当該委任を受けた業務執行取締役のそれとはおのずから異なるものと解すべきが事の性質上当然である（東京地判昭三二・五・一三【94】参照）。そうでなければ権限の委譲ないし職能の分化をみとめる意味は失われるからである。それゆえ、取締役が社員に貸借対照表を作成せしめた場合に、その記載が真実に合致しないことに気付かなかつたときは過失があるとみとめた判例（大判大一二・一一・六【95】）は、業務執行取締役については常に妥当するにしても、他の取締役については「極メテ軽度ノ過失ニシテ未タ以テ善良ナル管理者ノ注意ヲ欠キタルモノト謂フヲ得」ないと解すべき場合が存するであろう（なお大決明三八・一二・一九民録一一・一六九三は「財産目録及ヒ貸借対照表ヲ作成スル事務ノ如キハ其ノ責任ハ取締役ニ帰スルト雖モ必シモ躬親ラ其作成ニ従事スルコトヲ要スルモノニ非ス」とみとめている）。

【94】「代表権のない各取締役は、取締役会の構成員としてその意思の決定に参与する以外に業務執行の権能を有しない。このような法律の建前から考察すれば、代表権のない各取締役は、取締役会に上呈された事実については、他の取締役の行為を監視する義務を負うが、これとは別個に代表取締役の業務執行行為自体一般を各個に監視する義務を負うものではないと解するのが相当である。このことは、商法第二百六十六条の三第二項の規定からも窺われることであつて、改正前の商法の下における取締役の責任とは大いに趣を異にする。そして、本件取引および手形金の決済等について、取締役会の決議を経た旨の立証はなく、却つて証拠によれば右の事項は取締役会の議を経なかつたことが認められるのであるから、被告に監視義務の違反の責任はない。」（東京地判昭三二・五・一三下級民集八・五・九二四）。

【95】「株式会社ノ取締役カ自ラ会社ノ貸借対照表ヲ作成セス社員ヲシテ之ヲ作成セシムル場合ニ於テハ往往其ノ記載ニ過誤アリ得ヘキコトヲ当然予想スヘキモノナレハ、取締役ニ於テ其ノ過誤ヲ覚知セサリシト

キハ之ヲ覚知セサルコトニ付過失アリト謂ハサルヘカラス。而シテ株式会社ハ資本団体トシテ其ノ資本ノ鞏固ヲ保持スルノ必要アリ。従テ其ノ貸借対照表ノ記載ハ最正確ナルコトヲ要スルモノナルヲ以テ、之ヲ社員ニ作成セシメテ其ノ記載ノ真実ナルヤ否ヤヲ調査セス直ニ之ヲ盲信シテ監査役等ニ提出シ之ニ基キ不当ノ利益配当ヲ為スカ如キハ、取締役トシテ其ノ重要ナル任務ヲ怠リ為ニ会社ニ損害ヲ被ラシメタルモノニ外ナラサレハ、仮令故意ヲ欠キ刑法上背任罪ヲ構成スルコトナシトスルモ、商法第百七十七条〈現二六六条〉ニ従ヒ取締役ノ任務ヲ怠リタルモノトシテ会社ニ対シテ民事上ノ責任ヲ免ルルヲ得サルモノトス。然ルニ原私訴判決カ原審公訴判決ノ理由ヲ援用シ被告甲等カ誤テ貸借対照表ニ在庫材料代金二万四千余円ノ重複計上ヲ為シ為ニ配当スヘカラサル金員ヲ不当ニ配当スルニ至リタルハ全ク社員ノ過誤ニ出テタルモノニシテ、之ヲ覚知セサリシハ取締役タル被告甲等ノ過失ト謂フヲ得サルニ非サル旨判示シナカラ、是レ極メテ軽度ノ過失ニシテ未タ以テ善良ナル管理者ノ注意ヲ欠キタルモノト謂フヲ得スト説示シ、以テ上告人（被控訴人）ノ請求ヲ棄却シタルハ、会社ニ対スル取締役ノ責任ノ意義ヲ誤解シタル失当ノ裁判ニシテ論旨ハ何レモ其ノ理由アリ。」(大判大一二・一一・六刑集二・七七一評論一三商法三五)(評釈、田中(誠)・判例民事法大正一二年度四五五)。

なお商法は「取締役」の職務事項として、定款・株主総会及び取締役会の議事録・株主名簿及び社債原簿の備置(商二六三I)、計算書類の提出・備置・公告(商二八一、二八二、二八三、二九三ノ五)、株式・社債の申込証の作成(商二八〇ノ六、三〇一II)株券・社債券の署名(商二二五、三〇六II)等を規定しているが、これらは本来取締役会の権限に属する事項が業務執行取締役に委ねられているのにほかならない(田中・前掲会社法二七三、野津・前掲一一〇一参照)。尤も破産の申立(破一三三I)につき、「取締役中の一部の者でもその取締役たる地位に基いてこの申立をなし得」べく、代表取締役が申立をなす場合においても取締役会の決議を経ることを要しないとする判決があつて(東京高決昭二八・一一・四【96】)、ここでは破産の申立が各取締役の権限に属することは破産法第一三三条第一項に単に「取締役」と規定されていることから明らかであり、且つ取締役の全員による破産の申立がない場合に破産原因たる事実の疎明を要求する破産法第一三四条の趣旨からも窺うことができると解されている(【96】参照)。しかし、破産の申立のみならず、同じく単に「取締役」とのみ規定されている検査役選任の申請(商二八〇ノ八I)・整理開始の申立(商三八一)も、単に「会社」と規定する更生手続開始の申立(更三〇I)と同様に、ほんらいは取締役会の権限に属するのであって、取締役会からその権限の委譲を受けた取締役(代表取締役)に限り、これをなしうるものと解すべきである。これに反し、取締役が株主総会に出席し、その議事録に署名し(商二四四II)、総会決議取消の訴(商二四七I)・新株発行無効の訴(商二八〇ノ一五II)・資本減少無効の訴(商三八〇II)・合併無効の訴(商四一五)又は設立無効の訴(商四二八II)を提起するのは、もとより取締役会の権限の委譲にもとづくものではなく、取締役が取締役たる資格にもとづいて有する権限であると解しなければならない(大森・前掲一七六、西原・前掲一九九参照。ただし松田・前掲一九五は、各種の訴の提起権者としての取締役は代表取締役を意味するとされるが当らない)(現行法上の総会決議取消の訴に当る決議無効の訴に関する、東京地判大一〇・一二・一六【97】参照。当時は取締役の資格として株主たることが要求されていた)。

【96】　「本件破産の申立は債務者甲株式会社代表取締役乙の申立にかかるものであるところ、破産法第百三十三条第一項によれば株式会社に対しては、取締役は破産の申立をすることができること明らかであって(なお株式会社の整理開始の申立につき商法第三百八十一条第一項参照)、取締役中の一部の者でも、その取締役たる地位に基いてこの申立をなし得ることは、同法第百三十四条の規定の趣旨からも窺うことができる。してみると前記会社の代表取締役なる乙が、本件破産の申立をするにつき同会社の取締役会の決議を経なかったとしても、違法とは断じ得ない筋合であって、この点に関する抗告人の主張は理由がない。」(東京高決昭二八・一二・四東京高裁時報四・六・一七八)。

【97】　「株式会社ニ於ケル株主総会ノ決議ニ対シ其招集ノ手続ノ法令又ハ定款ニ違反セルコトヲ理由トシ

テ該決議無効ノ訴ヲ主張スルコトヲ得ル権利ハ其会社ノ株主取締役及監査役ノミニ属スルコトハ、商法第百六十三条第一項〈現二四七条一項〉ノ明定スル所ナリト雖トモ、我商法上株式会社ノ取締役ハ必ス株主中ヨリ之ニ選任スヘキモノニシテ即チ取締役ハ必ス一方ニ於テ株主タル資格ヲ有スルモノナルコト明ナリ。然ルニ商法第百六十三条第一項カ特ニ株主及取締役ヲ並行セルハ、蓋シ取締役タル職務ヲ行フ株主カ其会社ニ対シ株主総会無効ノ訴ヲ提起セル場合ニ於テハ、即チ取締役タル資格ニ於テスルコトヲ要スルモノトスルノ律意ニ出テタリト解スルヲ妥当トス。而シテ取締役ヨリ会社ニ対スル訴ヲ提起スル場合ニ於テハ原則トシテ其訴ニ付テハ監査役会社ヲ代表スヘキハ商法第百八十五条ニ規定スルトコロナリ。本件ノ原告ハ被告会社ノ株主ニシテ当裁判所ノ為シタル仮処分決定ニ因リ被告会社ノ取締役ノ職務ヲ行フモノナルコトハ原告ノ主張スルトコロニシテ、本訴状ニ被告会社ノ法律上代理人甲カ被告会社ノ取締役トシテ表示セラレタルコトハ明白ナルヲ以テ原告ノ訴ハ此点ニ於テ既ニ不適法ニシテ被告ノ抗弁ハ理由アリ。」（東京地判大一〇・一二・一六評論一〇商法六四一）。

二　代表取締役

（一）　会社は取締役会の決議をもつて会社を代表すべき取締役（代表取締役）を定めることを要する（商二六一Ⅰ）。定款をもつてその選任を株主総会の権限とすることをうるかどうかが学説上争われているが、これに関する判例は見当らない（民事局長通達昭和二六・一〇・一二登記研究四二・三〇は、定款に取締役会の決議による旨を明示してある場合は勿論、何ら定めのない場合でも、株主総会の決議をもつて代表取締役を選任することはできず定款をもつてしてもその旨の定めをなしえぬとする）。また会社は取締役会の決議をもつて何時でも代表取締役の地位を解くことができ（代表権の剝奪）、代表取締役もまた何時でもその地位を辞することができる。この場合、その取締役がなお取締役として在任する以上、その一方的意思表示のみによつては代表取締役たる地位を失うこととなく、辞任の効力の発生のためには取締役会による辞任の承認又は解任の決議を要するものと解する見解があるが（民事局長回答昭和二六・八・二登記研究四五・二三は「代表取締役は、取締役として在任する限りその者の一方的意思表示のみによってその地位を失なうことなく取締役会の解任決議又は辞任承認により代表取締役にあらざる取締役となるものと解すべく、従ってその登記の申請書には、これに関する取締役会の議事録の添附を要する」としている）、このように解すべき理由を知るに苦しむ。取締役会の決議により代表取締役に選任されたときは、就任するのが取締役の職務と解する趣旨かとおもわれるが、かかる職務を認めることは困難である。代表取締役の辞任又は解任により代表取締役の地位は失われるが、これにより当然に取締役たる資格までもが失われるわけではない。これに反して、代表取締役が取締役たる資格を喪失したときは、同時に代表取締役たる地位をも喪失することはいうまでもない（東京地判昭二八・二・一二経済法律時報一・三六）。代表取締役の地位は取締役たる資格を前提とするものだからである。また代表取締役の終任により法律又は定款所定の員数を欠くにいたつた場合においては、任期の満了又は辞任による退任者は後任者の就職するまでひきつづき代表取締役としての権利義務を有する（商二六一Ⅲ・二五八Ⅰ）。この規定は、取締役としての権利義務を有しない以上その適用がないが（民事局長回答昭和三二・五・一民甲八五八号商事法務研究七二・一三は、取締役を辞任しその資格を失つた代表取締役は、法律・定款所定の員数の取締役が選任されている以上、後任代表取締役が選任されないからといつて、なお本条により代表取締役としての権利義務を保有するものではないとする）、代表取締役の終任と同時に取締役をも終任となる場合にも適用せられ、代表取締役としての権利義務を有することにより同時に取締役としての権利義務をも有するものと解すべきである。けだし、代表取締役なる地位は取締役たる資格の存在をその前提とするとともに、その資格の存在を当然に包含しているものと解すべきだからである。右の準用規定を欠いた旧法上の判例も、代表取締役たる取締役が取締役としての任期満了によりその地位を喪失した場合においては、「新たに会社を代表する取締役の選任就職するまでは、なお右会社を代表して告訴することができる」とみとめている（最決昭三一・七・三刑集一〇・七・九九九）（なお東京地判大一五・四・二評論一五商法五〇二では、辞任後会社を代表してなした貸金債権の譲渡も有効とみとめられた）。なおこの場合、必要があれば利害関係人は裁判所に一時代表取締役の職務を行うべき者（仮代表取締役）の選任を請求することができるが（商二六一Ⅲ・二五八Ⅱ。選任の裁判につき非訟一三二ノ四参照、東京高決昭三二・一二・一八東京高裁時報八・一二・二九一は、裁判所が代表取締役の職務代行者を選任した場合、その者を不適任として不服の申立をすることは許されないとする）、この職務代行者も同時に取締役又は取締役の職務代行者たる資格を兼ねているものと解しなければならない（本条による職務代行者についてではないが、取締役職務代行者の資格を兼ねていない代表取締役職務代行者なる地位をみとめる東京地判昭二八・一二・二八【86】については既に述べた。なお、取締役の員数の(二)及び(三)の項とくに一一八頁参照）。

社長・副社長・専務取締役・常務取締役などの名称を附した取締役は実際上会社を代表する権限を有する場合が多いが、かならずしも常に代表取締役たるわけではない（商二六一二参照）。社長又は頭取は会社の主席又は筆頭取締役として会社業務の最高執行者たる地位を占め、代表取締役であるのを常とし、旧法の下における大審院判例も、「社長ナル名称ハ民法商法其他ノ法律ニ於テ特ニ認メラレタル称呼ニハアラサルモ、我カ国ノ取引上ニ於テ慣用セラルル一種ノ熟語ニシテ、会社ノ主席取締役ヲ意味スルモノナレハ、既ニ判文中ニ被告ノ甲株式会社ノ社長タルコトカ判示シアル以上ハ其会社ノ代表者タルコトハ明確ナリ」としている（大判明四一・一〇・八刑録一四・八二五刑抄録三一・三二九一【98a】。同旨、頭取に関する、大阪判明三五・四・二五【98】）。しかし、社長と代表取締役とは別個の観念であって、両者は必ずしも常に相ともなうことを要するわけではなく、社長の辞任は当然には代表取締役の辞任とはならない（同旨、東京地判昭二八・二・一一経済法律時報一・三六（前出一一三頁））。ただし「社長は会社を代表する」という定款の規定のもとに社長を選任したときは、同時に代表取締役たる地位をも附与したと解すべきであって、右の規定のもとに社長を辞任したときは、その辞任と同時に代表取締役たる地位も喪失するものと解しなければならない（大隅・園部・前掲一五一）。同様に、かかる規定がある場合において社長たる取締役の代表権が剝奪（代表取締役の解任）せられたときは、同時に社長の地位の喪失を伴なうものと解すべきである。

【98】「従来株式会社ノ取締役ノ筆頭ヲ頭取又ハ社長ト称セルハ顕著ナル習慣ナルヲ以テ頭取ト云ヘハ筆頭取締役ノ謂ヒナルコト何人モ疑ヒヲ容レサルナリ。既ニ頭取ナル名称ハ筆頭ノ取締役ナルコトヲ示スニ足リ且ツ取締役ハ取締役以外ノ名称ヲ用ヰテ代表権ヲ行使スヘカラストノ法則ナキヲ以テ、甲カ株式会社乙銀行ノ取締役ナル以上ハ頭取ナル名称カ法律語ニアラサレハトテ該名称ヲ用ヰテ同会社ノ為メニ為セル訴訟行為カ代表行為ナルヲ得サルノ理由アルヘカラス。又甲ハ同会社ノ取締役ナルコトハ登記簿抄本ニ依リ明確ニシテ且ツ同人ハ同会社ノ為メニ本訴ヲ為セルモノナルコト訴状ノ記事ニ依ルモ明瞭ナルヲ以テ、訴状原告ノ表示ニ株式会社乙銀行頭取甲トアリテ取締役ナル名称ナシト雖トモ之レカ為メ法律上代理ノ欠缺ナリトスルヲ得ス。」(大阪控判明三五・四・二五新聞八八・四)。

代表取締役について、株主総会における取締役選任決議の無効若くは取消の訴又は取締役解任の訴が提起されたときは、商法は当該取締役の職務執行の停止又はその職務代行者の選任の仮処分をみとめているが(商二七〇。前商二七〇参照)、代表取締役の地位は取締役たる資格の存在を前提とするから、右の仮処分により停止せられるのは単に取締役としての職務の執行のみならず、代表取締役としての職務の執行をも含むものと解しなければならない(なお四四頁参照)。取締役会における代表取締役の選任決議無効の訴が提起された場合においても右の商法の規定の類推適用をみとめるべきであるが、この場合には、職務執行の停止を受けるのは取締役としての職務を除外した代表取締役としての職務の執行にのみ限られ、したがつてそれについてだけの職務代行者の選任をなすべきかにみえる(前掲民事局長通達昭和二九・一二・一〇。民甲二四六二号も、これを肯定する)。しかしながら、かように解するときは、いわば「取締役たる資格を有しない代表取締役」なるものをみとめるのと同様の結果を生じ、代表取締役の地位に関する現行商法のたてまえに反することとならざるをえない。既述の通り、取締役の職務代行者たる資格を有しない代表取締役職務代行者なる地位をみとめ、その者は取締役会の決議に加わる権限を有しないとする下級審の判決があるが（東京地判昭二八・一二・二八【86】。なお東京地判昭二八・六・一九【196】参照）不当といわざるをえない。職務執行停止の仮処分を受けた代表取締役は会社代表行為をなしえず、したがって会社を代表して訴訟行為をなすことをえないが（大判昭六・一二・一五法学一上五二四(前出四四頁)）、しかし、当該仮処分に対する異議の申立又は取消の申請をなすことまでも禁止されるものではなく、当該仮処分に対する異議事件については会社を代表して訴訟行為をなしうるものとみとめられる（東京控判昭一三・二・二三評論二七民訴法一四二、東京地判昭二一・九・六新報一三二・二二）。商法は取締役の職務代行者は仮処分命令に別段の定めがある場合を除き、会社の常務に属しない行為をなしえないものとしている（商二七一、前商二七二）。ここにいわゆる会社の常務の意義及び範囲は明らかでない。取締役会の法定決議事項に属する事項は多くは常務に属しないが、必ずしも常にそうとのみはいえない（商法の規定の新設前の判例・東京地判昭七・四・八評論二一商法三一六は、代行取締役は一般の取締役と同様の権限を有し、必要に応じて臨時総会の招集をなすことができるとみとめた。ほぼ同旨、東京地判昭七・八・五新聞三四四七・一九参照）（大浜・前掲一〇七八、松田・鈴木・前掲三二八、西本・前掲二〇八参照）。例えば、解散のための臨時総会の招集は「常務」に属しないから、その総会招集につき裁判所の許可のあったこと又は仮処分命令中に別段の定めがあることの証明がない限り、たとい右総会において解散を決議し、職務代行者全員により解散登記が申請されても受理すべきでないとしても（民事局長回答昭和二九・四・九登記研究七八・四二）、定時総会の招集はむしろ常務に属するものと解すべきである。会社の常務に属しない行為についても、特に本案管轄裁判所の許可を得た場合には職務代行者においてこれを執行しうるが（商二七一Ⅰ但書、前商二七一Ⅰ但書）、株主総会の専属的決議事項については右の許可のほか総会の決議を経なければならないことは、いうまでもない（同旨、松田・鈴木・前掲三二八）。代表取締役の職務代行者のほかに、法律又は定款に定める取締役の員数の過半数に当る正規の取締役が存しない場合には、常務に属しない行為をなすについては裁判所の許可を得るほかないが、右の代行者のほかに正規の取締役があり、且つその数が取締役の員数の過半数に達している場合には、常務以外の行為をなすについても裁判所の許可を申請する必要はなく、正規の取締役による取締役会の決議にもとづいてその執行をなすことができる（反対、松田・鈴木・前掲三二九は、仮処分による職務代行者は取締役会の決議に拘束されないとする）。したがつて、少数株主から臨時総会の招集の請求を受けた場合において、他に正規の取締役があるときは、代表取締役の職務代行者はその取締役から成る取締役会の招集決議にもとづいて招集通知を発することをえ、たといそれが会社の常務以外の行為に属するとしても、裁判所の許可を申請することを要しないといわなければならない（東京高決昭二八・六・二九【99】）。

【99】「株主から取締役にたいして商法第二三七条第一項によつて、株主総会招集を請求する旨の書面が提出された場合は、取締役会は業務執行として右の請求を審査し、適法な請求であるときは、総会の招集を決議して総会招集の通知をするべきものであることは商法第二六〇条、第二三一条の規定からみて明らかである。＜中略＞右会社は、前記総会で選任された甲外七名の取締役による取締役会によつて会社の業務執行を決することができる状況にあるといわなければならない。そうすると、右会社はまず前記の乙ほか二名の株主総会招集請求について、取締役会を開いて総会招集をするかどうかを決すべきものであつて、この取締役会において招集することに決せられたときはじめて会社の代表取締役職務代行者たる丙はその通知を発しなければならないものである。しかるに丙は、この決議をうることなくして原裁判所にたいし『取締役会を招集しようとしても、取締役に関する事項につき登記と実際とが符合しないので、取締役会を招集すること

ができず、臨時株主総会招集が常務に属するかどうかについても疑問の余地あり』との旨を理由として商法第二七一条第一項により、臨時株主総会招集許可の本件申請をしたことは（右招集手続が常務であるかどうかはしばらく措くとしても）不当である。もし、これにたいして原審のように許可を与え、これにもとづいて株主総会が招集されるならば、前記認定のように現存する取締役を無視し、その取締役会の業務執行の権限をうばう結果となる。本件許可申請は右の点でこれを却下すべきこと明らかである。」（東京高決昭二八・六・二九判時一一・一六）。

株主総会における取締役の選任議決が取消判決の確定により無効となつた場合には、取締役たる資格は決議の時に遡つて失われ、その者は最初から取締役たる資格を取得しなかつたこととならざるをえない（大決大一〇・一〇・二七【103】、大判昭六・六・二四【100】。なお清算人に関する大判昭六・六・五【125】）。そしてその取締役が同時に代表取締役である場合には、取締役たる資格の喪失と同時に代表取締役たる地位をも遡及的に失うこととなり、当該代表取締役のなした行為は無権代理行為とみとめられざるをえない（同旨、大判昭六・六・二四【100】、清算人に関する大判昭六・六・五【125】）。この場合に直ちに民法第一〇九条の準用により、会社は代表取締役が第三者との間になした行為につきその責に任ずると解する判例もないではないが（大判昭六・六・五【125】参照）、会社代表取締役の氏名が登記事項とされているため（商一八八Ⅱ7 8・六七、前商一八八Ⅱ9 10・六七、旧商一四一Ⅰ7 8・五三。なお非訟一八八参照）、この登記の効力をめぐつて種々立場を異にする判例が見られた。昭和六年の大審院判決は、この場合において当該取締役の登記が正当な申請人の申請にもとづいてなされているときは、民法第一〇九条により会社はその者の行為について責に任ずべきであるとみとめ（大判昭六・六・二四【100】）、この見解はその後の判例にも及んでいる（大判昭七・一〇・一四【101】）。しかし、問題は、自己の取締役選任決議が後に無効とされた代表取締役の申請にもとづいて登記がなされた場合について存する（改正後の非訟事件手続法一八八条一項参照）。昭和十年の東京地方裁判所の判決は、株主総会が招集権限のない者の招集によるものであるため選任決議が不存在の場合について、たとい当該取締役につき登記が存しても、その登記が無権限者の申請にもとづくものである以上は、民法第一〇九条の適用の余地がないと解している（東京地判昭一〇・四・二四【102】）。かように取締役の選任決議が不存在の場合は別として、瑕疵はあるにしても法律上総会の決議とみとむべきものが存在する場合には、右とは異なる結論をみちびきうるはずであるが、大審院は選任決議が、手続上の瑕疵にもとづいて取消された場合においても、その者がなした登記は不適法であるとする同時に（大決大一〇・一〇・二七【103】）、登記が適法に選任せられた者の申請によつてなされた場合に限り、民法第一〇九条により善意の取引の相手方の保護をみとめうるものとする立場をとつた（大判昭六・六・二四【100】、大判昭七・一〇・一四【101】）。しかし、昭和十三年になつて大審院もこれを改め、取締役が職務上なした登記は、たとい後日その総会における選任決議が無効とせられても、非訟事件手続法第一五一条ノ二にいわゆる「法律上許スヘカラサルモノ」として職権抹消の手続をなすべきものではないとしているから（大決昭一三・三・一六【104】）、この登記にもとづき民法第一〇九条の適用をみとめうることとなるであろう。以上の諸判例はいずれも、不実の登記に公信力をみとめる現行商法第一四条の規定（昭和一三年の改正に当り新設）の施行前のものであるが、同様の問題はこの規定の適用についても生ずるのであつて、上述の判例の立場は参考とするに足るものがある。そして取締役の選任決議が後に取消され又は無効となつた場合においても、その登記がなされている限り、会社は商法第一四条の規定により当該取締役が会社を代表してなした行為につき善意の第三者に対して責任を免れえないものと解しなければならない。なお、取締役会における代表取締役選任の決議が無効となつた場合にも、当該取締役は初めから代表取締役の地位を有しなかつたこととなり、その取締役のなした行為は無権代理行為とならざるをえない。かかる場合に関する判例は見当らないが、右に述べたところに準じて考えることができるであろう。

【100】「株主総会ノ決議ヲ無効トスル確定判決アリタルトキハ当該決議ハ始ヨリ無カリシト同一ニ帰スヘキコト勿論ナレハ、前掲甲ヲ取締役トシテ選任シタル株主総会ノ決議ヲ無効トスル確定判決アリタルコト右認定ノ如クナル以上同人ハ未タ曽テ被上告会社ノ取締役タリシコト無キコトトナリ、従テ同人ノ為シタル前掲承認ハ無権代理行為ト認ムヘキコトハ寔ニ原判決説明スル所ノ如シ。然レトモ如上決議ニ基キテ為サレタル選任登記ノ現存スル間ハ、世人ハ該登記ニ取締役トシテ示サレ居ル者ヲ以テ正当ナル取締役即チ代理人ナリト信シ之ト取引ヲ為スヘキコトハ当然ノ数ナリト謂フヘク、但タ若シ当該登記ニシテ例ヘハ如上問題トナレル取締役ソノ人ノ申請ニ依リテ為サレタル場合ノ如キ其申請ヲ為スヘキ権限無キ者ノ申請ニ依リテ為サレタル者ナルトキハ、特別ノ事情無キ限リ会社ヲシテ右取引ニ付責ヲ負ハシムヘキニ非ス。縦令該取引ヲ為シタル第三者ニ於テ損害ヲ被ムルコトアルモ亦如何トモスヘカラスト雖、之ニ反シ当該登記ニシテ其申請ヲ為スヘキ権限アル会社機関ノ申請ニ基キテ為サレタルモノニ係ルトキハ、則チ会社ヲシテ如上取引ニ付負責セシムヘク累ヲ第三者ニ及ホスヘキニ非ス。蓋此場合ニ於テハ会社ハ自ラ甲ヲ取締役トシテ選任シタル旨即チ之ニ自己ヲ代表スヘキ権限ヲ与ヘタル旨ヲ世人ニ表示シタルモノト看ルヲ得ヘク、夫ノ他人ニ代理権ヲ与ヘタル旨ヲ特定ノ第三者ニ表示シタル場合ト何ラ撰ムトコロ無キカ故ニ、民法第百九条ハ斯カル場合ヲモ包含規定シタルモノト解スルヲ相当トスレハナリ。然レハ原審ニ於テ前掲甲ノ為シタル承認ニ付民法第百九条ノ適用アリヤ否ヤヲ判定セムニハ先以テ前掲甲選任登記カ前叙ノ場合ノ中何レニ該当スルヤヲ審理シ其前者ニ該当スルコトヲ確定シタル後ニ非サレハ右規定ノ適用ヲ否定シ得ヘキニ非ス。」(大判昭六・六・二四新報二二六七・一四裁判例五民一二二)。

【101】「確定判決ニ依リ無効トナリタル株主総会ノ決議ニ因リ選任セラレタル取締役若クハ清算人ノ為シ

タル行為ハ無権代理行為ト認ムベク、其ノ行為ノ効力ハ原則トシテ本人タル会社ニ及ホスヲ得サルモ、上叙決議ノ結果トシテ為サレタル選任登記カ権限アル会社機関ノ申請ニ基キ為サレタルモノナルトキハ、是即チ会社カ該取締役若クハ清算人ニ自己ヲ代表スヘキ権限ヲ与ヘタル旨ヲ世人ニ表示シタルモノニ外ナラサルカ故ニ、民法第百九条ノ規定ヲ此ノ場合ニ類推適用シテ前記取締役若クハ清算人ノ行為ニ付会社ヲシテ其ノ責ニ任セシムルヲ相当トスルコトハ、夙ニ当院判例（昭和五年(オ)第二九二五号）ノ存スル所ナリ。」（大判昭七・一〇・一四法学二・七〇六）。

【102】「招集権ナキ者ノ招集ニ係ル株主総会ノ選任決議カ法律上当然無効ナルコト論ナキトコロナレハ、＜中略＞乙カ原告会社ヲ代表スヘキ取締役ト登記セラレシコトアルコト等ヲ認メ得レトモ、訴外乙丙等ハ当時ニ於テモ何等原告会社ノ正当ナル取締役ニ非ス。従テ何等原告会社ヲ代表スヘキ権限ナキコト並右登記ノ申請モ亦原告会社ヲ代表スヘキ権限ナキ者ニ於テ之ヲ為シタルコト＜中略＞明ナルヲ以テ、右ノ如キ事実アリタリトスルモ原告会社カ乙ヲ原告会社ノ代表者ナリト表示シタルモノト謂ヒ難キトコロ、他ニ原告会社カ右ノ如キ表示ヲ為シタルコトヲ認ムヘキ証拠ナキヲ以テ、民法第百九条ハ其ノ適用ノ余地ナシ。」（東京地判昭一〇・四・二四評論二四商法四五七）。

【103】「商法第百六十三条＜現二四七条＞ノ規定スル決議無効ノ判決ハ決議カ当初ヨリ無効ナルコトヲ確定スルモノナレハ（大正十年(オ)第百一号事件判決同年七月十八日言渡参照）、株主総会ノ決議ニ付キ之ヲ無効トスル判決アリタル以上ハ其決議ニ依リ取締役ニ選任セラレタル者ハ当初ヨリ取締役タル資格ヲ取得セサリシ者ト謂フヘク、従テ其者カ取締役トシテ為シタル商業登記ハ不適法ナリト謂フヘシ。」（大決大一〇・一〇・二七評論一〇商五七二民録二七・一八三三民抄録九三・二三七八一）（評釈、竹田・法学論叢一三・四四〇）。

【104】「株主総会ノ決議ニ依リ選任セラレタル株式会社ノ取締役カ取締役トシテ其ノ職務上為シタル登記ハ、後日当該取締役選任ノ決議カ確定判決ニ依リ無効トナルモ之カ為ニ法律上許スヘカラサルモノトシテ職

権抹消ノ手続ヲ為スヘキモノニアラス。惟フニ株主総会ノ決議ニ基ク事項ノ登記ハ当該決議ヲ無効トスル確定判決アリタル場合ニハ之カ抹消登記手続ヲ為スヘキコトハ法令ノ規定ニ徴シ明カナルヲ以テ、株主総会ノ決議ニ依リ選任セラレタル取締役ノ就任登記ハ其ノ決議無効ノ確定判決ニ基キ之カ抹消登記ヲ為スヘキハ当然ナルモ、右取締役カ其ノ選任後該選任決議無効ノ確定判決前ニ其ノ職務トシテ為シタル右就任登記以外ノ登記ハ事実ニ符合スル正当ノモノナル以上之ヲ抹消スヘキ法律上ノ理由存在セサルモノト謂ハサルヘカラス。若シ該登記カ確定判決ニ依リ取締役ノ資格ヲ喪失シタル取締役ノ為シタル登記ナルノ故ヲ以テ抹消スヘキモノトスルトキハ、右ノ正当ニ為サレタル登記ヲ信シテ行ハレタル取引ニ影響ヲ及ホシ第三者ハ不測ノ損害ヲ蒙ル虞レアルノミナラス、又改メテ抹消セラレタルト同一ノ登記ヲ他ノ取締役ノ申請ニ依リ為ササルヘカラサルニ至リ、登記ノ信用力ヲ没却スルノ結果ヲ招来スルヲ以テナリ。故ニ右ノ登記ハ非訟事件手続法第百五十一条ノ二ニ所謂法律上許スヘカラサルモノト解スヘキモノニアラス。之ニ反スル当院判例（大正十年（ク）第二百三十三号同年十月二十七日決定）ハ変更スルヲ相当トス。而シテ右ノ登記カ抹消セラルヘキ取締役ノ就任登記ト同一取締役ノ申請ニ依リ同時ニ為サレタルカ為ニ右ノ解釈ヲ異ニスヘキ理ナキモノトス。若シ夫レ決議無効ノ確定判決ニ依リ遡及的ニ取締役タル資格ヲ喪ヒタル取締役カ其就任中為シタル登記カ事実ニ符合セサルカ又ハ不適法ノモノニシテ商法若クハ非訟事件手続法ノ規定ニ依リ許スヘカラサルニ於テハ、同法第百四十八条ノ二ニ依リ当事者ノ申請ヲ俟テ之カ抹消手続ヲ為スヘキモノトス。」（大決昭一三・三・一六民集一七・四一九）（評釈、鳥賀陽・商事法判例研究三・一六五）。

なお、取締役会における代表取締役の選任又は解任の決議が無効であることの確認を求める訴が提起された場合において、その後の取締役会においてその選任された代表取締役を解任し又は解任された者を適法に選任する決議があつたときは、もはや決議の無効確認を求める法律上の利益は存しないことゝなる（東京地判昭三〇・一〇・二四【105】）。また、代表取締役を辞任した後、依然として代表取締役の職務を執行している者がある場合においては、たとい仮処分としてその者の代表取締役としての職務の執行が停止され、代表取締役職務代行者が選任されたとしても、株主は右の代表取締役僭称者に対しその者が代表取締役でないことの確認を求める利益がある（東京地判昭二八・六・一九【106】）。

【105】「およそ、取締役会の決議無効の確認を請求するについては、かしありと主張する決議により形成された権利関係が口頭弁論終結当時なお存在し、よつて会社又は原告の権利を害する事情あることを要するものであつて、その決議に基づく権利関係がその後の決議又は他の事情により変更せられた為、口頭弁論終結当時には決議の効力が消失していて会社又は原告の利益を害する虞のない場合は過去の権利関係の確認を求めるに帰し確認の利益なきものと言わなければならない。＜中略＞もつとも、原告は、かしある決議により甲が被告会社の代表取締役に選任せらるるや解任される迄の間会社を代表して第三者の為に会社財産につき抵当権を設定したり会社の債権を第三者に譲渡したりしたので、これら法律行為の無効確認を求める必要があり、その前提として、本件取締役会決議の無効ないし不存在の確認を求める利益があると主張するけれども、原告主張の必要があれば原告は被告の代表者として、直接右第三者を相手方としてこれら法律行為の無効確認を訴求し、その訴を理由あらしめる事実として本訴に主張した事実を述べれば足りることである。或る訴訟の請求原因事実の前提となる法律関係でありさえすれば現在その効果が存続していないものであつても、漸を追い遡つてその法律関係存否の確認訴訟を提起することは、徒に事端を繁くするもので到底確認の利益ありということはできない。」（東京地判昭三〇・一〇・二四判時六八・二二）。

【106】被告甲は代表取締役を辞任し原告がこれに選任せられたのにかかわらず、依然としてその職務を行なつていたので、原告は株主たる地位において被告甲が代表取締役でないことの確認を求めたが、被告は

「代表取締役としての職務の執行が停止され、代表取締役職務代行者が選任されたので被告甲はもはや代表取締役の職務を執行していない。而して代表取締役の職務代行者が選任されている限り代表取締役等選任の登記は許されないから本訴において原告勝訴の判決があつても、原告の右地位に関する法律上の安定を得られず、本訴は確認の利益を欠くこととなり、失当である」と抗弁した。

「本訴の争点は確認の利益の存否の一点につきる。さて、本訴につき、仮処分として、被告甲の代表取締役としての職務の執行を停止し、代表取締役の職務を代つて行う者として訴外戌が選任されたことは当裁判所に顕著な事項であるが、仮処分によつて形成されているこの法律関係は仮のものにすぎないから、この法律関係に立つて本訴の実体上の理由の存否を判断することは許されない。しかして被告甲が右仮処分のあるまで代表取締役としての職務の執行をなし、被告乙、丙及び丁が現に取締役としての職務の執行をしていることとは被告の認めるところである。果して然らば、被告会社の業務の執行の決定機関たる取締役会を構成する取締役の地位及び被告会社の対外的業務執行機関たる代表取締役の地位の存否を被告等について確定するにつき原告は株主として当然法律上の利益があるということができるのである。」(東京地判昭二八・六・一九下級民集四・六・八八五)(解説、鮫島・経済法律時報三・三八)。

(二)　代表取締役は一人以上存すれば足り、数人あるときでも各自単独で会社を代表するのを原則とする(単独代表又は各自代表)。　取締役全員を代表取締役とすることをうるか否かについては疑問がないではないが、許されないとするほどの理由はないであろう(商法の一部を改正する法律施行法二一Ⅲ及び同七Ⅰ参照)(同旨、松田・鈴木・前掲二八八、民事局長回答昭和二六・一〇・一〇。なお大隅・園部・前掲一四九は、かならずしも違法とはいえぬが、不適当であるとする)。代表取締役が数人あるときは、取締役会の決議をもつてその数人が共同して会社を代表すべきものとし(共同代表、商二六一Ⅱ。登記、商一八八Ⅱ9)(共同代表の場合の登記申請に関し、民事局長回答昭和二九・三・三一登記研究七八・四一は、「代表取締役甲及び乙は共同して会社を代表す」と定めても「取締役甲及び乙は共同して会社を代表す」と定めても受理せられるとする)、また数人中の一部の者は単独で、他の者は共同して会社を代表すべきものとすることができる（なお民事局長通達昭和二八・六・二五登記研究六八・四三は、「会社その他の法人を代表すべき者（以下代表者という。）に関する登記簿の抄本を作成する場合において、その代表者が各自法人を代表すべき場合であれば、申請人の請求に応じてその一人又は数人の氏名のみを抄写すれば足りるが、その代表者が共同して法人を代表すべき場合であれば、必ずこれに係るすべての代表者の氏名とその共同代表に関する定を抄写するのが至当」とする）。単独代表の場合においては、ある取締役が会社を代表して訴を提起しその訴訟の局に当っていても、他の代表取締役において控訴を提起しうるはもとより（長崎控決昭一二・一一・二五【30】。合名会社の代表社員に関し同旨、大判大四・一〇・一四評論四民訴法三三三）、その訴の取下をなすも妨げなく（福岡高判昭三二・一〇・二六【128】）、数名の代表取締役の意思が相互に矛盾する場合でも、その一取締役のなした対外的意思表示は会社に対して効力を生ずる（同旨、東京地判明三六・九・三新聞一五八・一五）。他方、共同代表取締役は、他の共同代表取締役に対し、自己の有する代表権の行使を委任することはもとより、特定の行為を委任して代理させることも許されない（東京高判昭三三・一・二四【107】）。また、共同代表の定めがある場合につき刑法上の判例は、第三者が株主総会の開催を不能ならしめる目的で会社建物に侵入したときは、その行為がたとい共同代表取締役の一人の意思に反しないものであっても、不法侵入罪の成立を妨げないとみとめている（大判昭九・一〇・二九刑集一三・一三八）（なお東京地判大一三・一〇・二一評論一四商法二六七は、合資会社の共同代表社員の一人が単独でなした手形行為につき会社には手形上の責任がないとみとめたが、手形行為については疑問なしとしない）。なお共同代表のもとにおいては、共同代表取締役の一人に対してなした意思表示は会社に対してその効力を生ずる（商二六一Ⅲ・三九Ⅱ、前商二六一Ⅲ・三九Ⅱ、旧商一七〇Ⅱ・三〇ノ二Ⅱ。訴訟書類の送達、民訴一六六）。大審院は、「此規定〈民訴法一六六条〉ノ精神ヨリ推究スルモ」代表取締役でない取締役に宛ててなした訴訟書類の送達（事案では、会社財産に対する競落許可決定の送達）は有効であるとみとめたが（大決昭九・二・二七【108】）、当該名宛人たる取締役は実体法上全く代表権を有していないのであるから、右の規定の類推適用をもってしても、訴訟上の送達につきこれを有効とすることは許されない解釈といわなければならない（同旨、兼子判例民事法昭和九年度五三、松田・前掲二〇八、東京高判昭二五・一〇・四下級民集一・一〇・一五七九）。

【107】　「株式会社において共同代表の定めのある場合には代表取締役全員が共同してのみ代表機関を構成するのであつて、いわば会社代表権が数人に合有されているものであり、商法がかかる制度を認めているのはこれによつて代表権の行使の慎重を期するとともに、代表取締役相互の牽制によつて代表権の濫用を防止しようとするものであるから、共同代表取締役が他の共同代表取締役に対し自己の有する代表権の行使を委任することはもとより、特定の行為を委任して代理させることは共同代表の制度の目的と本質に反し法の認めないところと解するのが相当である。」（東京高判昭三三・一・二四金融法務事情一六六・五）。

【108】　「株式会社ノ定款又ハ株主総会ノ決議ニ依リ取締役中会社ヲ代表スヘキ者ヲ定メタル場合ニ、会社ニ対スル書類ノ送達ハ代表取締役ニ非サル他ノ取締役宛ニテ之ヲ為スモ其ノ送達ハ有効ナリヤ否ニ付テハ直接之ヲ定メタル規定ナシト雖、民事訴訟法第百六十六条ニハ数人カ共同シテ代理権ヲ行フヘキ場合ト雖送達ハ其ノ一人ニ対シテ之ヲ為スヲ以テ足ル旨規定シアリテ、此規定ノ精神ヨリ推究スルモ、叙上ノ場合ニ於テハ送達ハ必シモ代表取締役宛ニテ為スコトヲ要セス他ノ取締役ヲ名宛人トシテ送達ヲ為スモ其ノ送達ハ有効ナリト解スルヲ正当トス。」（大決昭九・二・二七民集一三・二〇四評論二三商法二二三新聞三六九三・一二）（評釈、兼子・判例民事法昭和九年度五二）。

単独で会社を代表すべき取締役が数人ある場合において、訴訟上会社を代表していた取締役が任期満了により退任しその代表権を喪失しても、他に代表権を有する取締役が存在する限り、訴訟の中断を来たさず、その続行を妨げない（大判明四五・二・二九【109】、長崎控判明四一・二・二八新聞四八八・一四）。代表取締役が解任（大判明四五・四・九【110】）又は死亡（長崎控決昭一二・一一・二五【30】）により退任した場合も、もとより同様である。また会社を代表して訴訟に当つていた取締役の権利義務を有する者が死亡しても、なお別にその権利義務を有する者があるときは、訴訟の中断を生ぜず、控訴期間の進行するを妨げない（【30】）。しかし、株主総会において取締役全員の改選の結果その全員が更迭した場合には訴訟手続に中断を生ずるのを免れない（同旨、大判明四五・五・三【111】、長崎控判明四一・二・二八新聞四八八・一四（前出））。総会における改選により従前の取締役が再選された場合においても、その資格においては新たに選任せられたのと相異がなく、その「法律上ノ代理権」は改選に際して一旦消滅し重任により再び発生したのであるから、中断を来たすものと解しえないではないが（同旨、大判明四一・六・九【112】、大判明四二・二・一六【113】、宮城控判明四二・五・一七【114】。ただし【112】は総取締役を解任し即日選任した場合に関する）、しかしこの場合において会社を代表する取締役が改選の前後を通じて同一人であるときは、その代表取締役は当該訴訟につき「前後ヲ通ジテ代理権ヲ有スルモノ」であるから、訴訟手続の中断を生じないと解すべきである。大審院も後に連合部判決をもって以前の見解を改めた（大判大六・三・九【115】）。なお、判例は、共同代表者甲及び乙のうち乙が取締役の任期満了により退任し、新たに丙が取締役に選任せられ且つ甲及び丙が共同して会社を代表すべきものと定められた場合においては、かかる共同代表者のうち一人の退任により訴訟手続は中断するが、新共同代表者甲及び丙が訴訟手続を続行したときには、有効に受継があったものと看做している（大判昭一二・七・一六【116】）。

【109】　「被上告人株式会社甲銀行取締役乙ノ任期満了ニ因リテ其代理権一旦消滅シ更ニ取締役ニ選任セラレタル事実ハ被上告人主張スル所ノ如シト雖モ、同銀行ニハ他ニ明治四十二年七月十七日就任シタル取締役丙並ニ明治四十三年一月十六日就任シタル取締役丁及ヒ戊カ依然トシテ在任スルコトハ上告人ノ提出シタル登記簿抄本ニ依リテ自明ナリ。抑本件上告提起ノ時即チ明治四十四年九月十一日以前ニ在リテハ、株式会社ノ取締役カ会社ノ営業ニ関シ一切ノ裁判上又ハ裁判外ノ行為ニ付テ会社ヲ代表スル権限ヲ有スルハ各自ニ之ヲ有シ共同シテ有スルモノニ非サルコトハ商法第百七十条第六十二条ニ於テ規定スル所ナレハ、本訴ニ於テ被上告人ヲ代表シタル乙ノ代理権一時消滅シタル時ニ於テ仍之ヲ代表スヘキ権限ヲ有スル丙丁及ヒ戊アリシヲ以テ、被上告人ノ為メニ訴訟手続ヲ続行スルコトヲ妨ケス。此ノ如キ場合ニ於テ訴訟手続ヲ中断スヘカラサルコトハ〈中略〉知ルニ難カラス。」（大判明四五・二・二九民録一八・一五五民抄録四三・九九七〇）。

【110】「株式会社カ当事者タル訴訟ニ於テ同会社ノ取締役カ訴訟中全員解任セラルルトキハ、即チ従来法定代理人タリシ者カ悉ク代理権ノ消滅ニ由リ会社ノ為メニ訴訟行為ヲ為スコトヲ得サルニ至ルモノナルヲ以テ、此ノ如キ場合ニ於テ民事訴訟法第百八十条若クハ同第百八十三条ノ規定に依リ訴訟手続ノ中断セラルルコトハ本院判例（明治四十一年(オ)第百八十五号同年六月九日言渡）ニ示ス所ナリト雖モ、株式会社ノ取締役ハ各自会社ヲ代表スルノ権限ヲ有スルカ故ニ、仮令訴訟ノ局ニ当レル取締役カ解任セラルルモ他ニ解任セラレサル者アルトキハ其者ニ於テ会社ヲ代表シ訴訟行為ヲ為スコトヲ得ヘキヲ以テ、斯カル場合ニ於テハ訴訟手続ノ中断セラルルヘキニ非ス。」（大判明四五・四・九民録一八・三五八）。

【111】「上告人カ本件上告ヲ提起シタルハ明治四十四年十一月十三日ニシテ是ヨリ先キ原判決送達前即チ明治四十三年十二月二十一日被上告会社ノ臨時株主総会ニ於テ取締役ノ全員ヲ改選シ之ニ因リ其全員更迭シタルコトハ登記簿謄本ニ依リ明白ナレハ、其改選ニ因リ従前ノ取締役ハ総テ被上告会社ノ法律上代理人タル資格ヲ失ヒ其代理権消滅シタルコト疑ヲ容レス。而シテ其改選ニ至ルマテ被上告会社ノ取締役タリシ甲ハ訴訟代理人ヲ以テ原審ノ訴訟行為ヲ為シタルコト原審記録上明白ナレハ、原判決ノ送達完了ニ至ルマテハ訴訟手続ノ中断ヲ生シタルコトナシトスルモ、原判決送達後ハ其訴訟代理人ニ委任シタル事務既ニ終了シ且其訴訟ハ既ニ原裁判所ノ繋属ヲ離レタルモノナルヲ以テ、叙上ノ如ク被上告会社ノ取締役全員改選ノ為メ其従前ノ取締役全員ノ代理権消滅シタル以上ハ、民事訴訟法第百八十条ニ依リ訴訟手続ハ新任ノ取締役カ其任設ヲ相手方ニ通知シ又ハ相手方カ訴訟手続ヲ続行セントスルコトヲ其新任ノ取締役ニ通知スル迄之ヲ中断スルモノニシテ〈後略〉。」（大判明四五・五・三評論一民訴法七一民抄録四四・一〇一二七）。

【112】「本上告ノ適法ナルヤ否ヤヲ按スルニ、上告人ハ株式会社ニシテ其法定代理人タル取締役甲カ原審ニ於テハ訴訟代理人ヲ以テ訴訟ヲ為セシモノナルコト記録上明確ナル事実ナリ。然ルニ上告代理人ノ申立及登記簿謄本ニ依レハ其間即チ明治四十一年一月八日上告会社株主総会ニ於テ総取締役ヲ解任シ同日更ニ之ヲ選任シタルコト明カナルカユヘ、其以後ニ於ケル甲ノ代理権ハ再任ニ因リ新ニ発生シタルモノニシテ、以前同人

ノ有セシ代理権ハ解任ニ因リ消滅シタルコト疑ヲ容レス。夫レ訴訟代理人ヲ以テ訴訟ヲ為ス場合ニ於テ法律上代理人ノ代理権カ消滅シタルトキハ、委任消滅ノ通知ニ因リ新法律上代理人カ其任設ヲ相手方ニ通知シ若クハ相手方カ手続ヲ続行センコトヲ其代理人ニ通知スルマテ訴訟手続ヲ中断ス。」(大判明四一・六・九民録一四・七一〇民抄録三四・七六九六)。

【113】「本院ハ先ツ本件上告ノ適法ナルヤ否ヤヲ調査スルニ、上告人カ上告ヲ提起シタルハ明治四十一年十一月十九日ニシテ、之ヨリ先キ同年四月二十五日原審判決言渡後、被上告人甲株式会社ノ法律上代理人取締役乙カ株主総会ニ於テ改選セラレタルハ登記簿謄本ニ依リ明白ナル事実ナリ。サレハ同人ノ法律上代理権ハ一旦消滅シ、更ニ改選ニ因リテ発生シタルモノト謂ハサルヘカラス。斯カル場合ニ於テ訴訟手続ノ中断アルヘキコトハ、既ニ本院判例(明治四十一年(オ)第百八十五号判決〈明治四一年六月九日言渡〉)ノ説示シタル所ニシテ、被上告会社ノ新法律上代理人カ相手方ニ対シ其任設ヲ通知シ又ハ相手方カ之ニ訴訟手続ヲ続行センコトヲ通知シタル事蹟ナキヲ以テ、本件上告ハ訴訟手続ノ中断中ニ提起シタル不適法ノモノタルヤ論ヲ俟タス。」(大判明四二・二・一六民録一五・一〇九民抄録三六・八〇六七)。

【114】「会社ノ取締役ハ改選ノ際再選セラルルモ其資格ハ任期満了ノ時ニ一旦消滅シ再選ニヨリ再ヒ其資格ヲ取得スルモノナルカ故ニ、仮令同一人カ重任スルモ、其資格ニ於テハ新ニ選任セラレタルト異ナルナキニヨリ、任期満了ト共ニ訴訟手続ハ中断セラルルモノトス。」(宮城控判明四二・五・一七新聞五八二・一四)。

【115】「法律上代理人ノ代理権カ任期ノ満了其他ノ理由ニ因リテ消滅シタルモ、其代理人カ改選其他ノ理由ニ因リ更ニ代理権ヲ授与セラレタル場合ニ於テハ、其代理人ハ前後ヲ通シテ代理権ヲ有スルモノナレハ、其儘訴訟行為ヲ承継続行スルコトヲ得ヘク、特ニ訴訟手続ノ中継及ヒ其受継ニ関スル手続ヲ践行スルノ必要ナシトス。」(大判大六・三・九民録二三・二二七民抄録七〇・一五九〇八)。

【116】「本訴第一審ニ於テ上告会社カ敗訴ノ判決ヲ受ケタル後、之ニ対シ上告会社ノ共同代表者タル取締役甲及同乙ハ原審ニ控訴ノ申立ヲ為シ、爾後此ノ両名ニ於テ訴訟代理人ニ依リ訴訟手続ヲ続行シ当事者雙方弁論ノ上原審判決ヲ受ケタル事実ハ記録上明白ナルカ故ニ、所論ノ如ク本訴ノ第一審ニ繋属中当時ノ上告会

社代表者二名中其ノ一人ノ取締役退任ニ因リ上告会社ノ法定代理人カ代理権ヲ失ヒ其ノ訴訟代理人ニ対スル第一審判決ノ送達ト共ニ本訴ノ訴訟手続ハ中断シタリトスルモ、右新共同代表者両名ニ於テ訴訟手続ヲ続行シタル事実ニ依リ本訴ノ訴訟手続ハ有効ニ受継アリタルモノト看做スヘク、此ノ点ニ関シ必スシモ形式上受継申立書ノ提出若クハ受継ニ付テノ裁判アリタルコトヲ要スルモノニ非ス。」(大判昭一二・七・一六民集一六・一二〇三)(評釈、小町谷・判例民事法昭和一二年度三〇五、村松・民商法雑誌七・三三〇)。

なお、数人の代表取締役につき単独代表の定めがある会社を当事者とする訴訟において、みずから会社を代表していない代表取締役にはもとより証人資格がみとめられるが(大判明三八・三・二民抄録二四・四九一六、大判大九・三・三民抄録八七・二一〇七八、最判昭二七・二・二二【117】、東京控決明三八・四・二七新聞二七八・一三、合資会社の代表社員に関する大判大七・二・一九民抄録七六・一七六〇七)、みずから会社を代表して訴訟をなす取締役にはその訴訟において証人たる資格はなく、その場合には本人訊問の規定の適用がある(大判大一三・六・二四民集三・二九〇評論一三民訴法二六一、評釈、藤田・判例民事法大正一三年度二五八)。

【117】「会社取締役が自ら会社を代表しない訴訟において、証人となることは何等違法でないから、原審が本件訴訟において、会社を代表しない取締役甲の証人としての供述を証拠に供したとて違法ではない。」(最判昭二七・二・二二民集六・二・二八〇)。

(三)　代表は観念上は代理と区別すべきであるが、実定法上の取扱においては代理に関する規定に従う。この場合において法定代理と委任代理のいずれの規定によるべきかが問題となるが、代表取締役の代表権は対外的な業務執行の権限として取締役会からの委譲にもとづくものと解すべきであり、取締役会が特定の取締役を代表取締役に選任するに際し附与したものとみとめなければならないから、委任代理に関する規定に従うべきものとしなければならない(結論同旨、田中(誠)・前掲会社法二七一。反対、松本・前掲会社法論三五二、田中(耕)・前掲概論三九四、野津・

前掲一一〇)。そして取締役会は選任による代表権の附与と同時に、一定の範囲内におけるその復任権をも与えているものとみとめられる(大判明四二・一〇・三〇【118】参照)。判例のうちには、会社を代表すべき取締役をもつて法定代理人であるとするものもみられるが(大判明三八・三・一三【119】大判大一〇・一〇・六【120】)、取締役が原則として当然に会社を代表する権限を有していた昭和二五年の改正前の商法の下にあってはともかく(旧商一七〇I、前商二六一I参照)、現在では会社代表権は取締役たる地位に当然附着しているのではなくして、取締役会における代表取締役の選任により附与されるのであるから、代表取締役をもつて法定代理人と解すべき理由はないであろう。

【118】「甲第一号証契約ノ成立当時ニ在テ上告人先代ハ被上告会社ノ定款ニ従ヒ取締役ノ互選ニ依リ頭取トシテ日常業務ノ執行ヲ一任セラレタリトスルモ、必スシモ日常ノ業務ヲ挙ケテ躬自ラ処理セサル可ラサルノ責アルニ非ス。反対ノ制限ナキニ於テハ、自己ノ責任ヲ以テ他人ヲシテ会社ヲ代理シテ日常業務ノ一部ヲ執行セシムルコト、換言スレハ復代理人ヲ任スルコトハ、当時行ハレタル商法ニ於テモ禁スル所ニ非ス。而シテ原院カ甲ヲ以テ被上告会社ヨリ会社ヲ代理シテ貸付ヲ為スノ権限ヲ委任セラレタルモノト判示シタルハ、即チ如上復代理委任ヲ認メタルニ外ナラサルカ故ニ、法律ヲ誤リタルモノニ非ス。」(大判明四二・一〇・三〇民録一五・八一八)。

【119】「取締役ハ会社ノ代理人ニアラスシテ会社ヲ組成スル機関ナリ、故ニ取締役ノ行動ハ会社自体ノ行動トシテ存在スルモノニシテ取締役ノ行為ノ効果カ直接ニ会社ニ帰属スルト云フカ如キ代理関係ニアラス、〈中略〉取締役カ会社財産ヲ保管スルハ取締役カ会社ノ為メニ保管スルト云フ関係ニアラスシテ、会社自身カ会社自己ノ為メニ保管スルモノタルニ過キス、蓋シ人格者ト其機関トノ間ニ法律関係ノ生セサルハ恰モ人間ト其手足トノ間ニ法律関係ノ成立ヲ許サヽルト同一般ナレハナリ、以上ノ理論ヨリ推ストキハ会社ト取締役ノ間ニハ刑法ニ所謂委託等ノ法律関係ノ存在セサルヤ明白ナリト云ハサルヘカラス、随テ取締役カ〈中略〉法令及ヒ定款ニ反スル行為ヲ為ストキハ最早会社ノ機関トシテハ存在ヲ失ヒ一己人トシテノ行動ト云ハサルヘカラス、即チ本件ノ如ク取締役カ不法ニ会社財産ヲ取出シ自己ノ為ニ処分シタリトセハ、其行為ハ取

締役タルノ行為ニアラスシテ一己人カ会社ノ領有ヨリ財産ヲ不正ニ奪取スルモノニシテ刑法ノ所謂竊盗行為ナリトス、然ルニ原院ハ〈中略〉之ヲ委託物費消ナリト断定シ上告人ノ請求ヲ棄却シタルハ法人ニ関スル法理ノ誤解ニ基ク不法ノ裁判ナリト云フニ在レトモ、現行商法ノ規定ヲ通覧スルニ、株式会社ノ取締役ハ其ノ法定代理人ニシテ会社ナル法人ノ業務ヲ執行スル者ナリト認メタル規定少カラス。殊ニ同法第百七十条〈現二六一条〉ニ於テ第六十二条〈現七八条〉ヲ準用スヘキ旨ヲ明示シタル如キ、取締役ハ行為能力ヲ有セサル会社ヲ代表シ其ノ業務ヲ行フ者ナルコトヲ示シタルモノト云フヘシ。其第四章第三節ニ会社ノ機関ナル文字アル如キハ章ノ命題ヲ簡易ナラシムル為メニセル用語ニ外ナラス。之ヲ以テ本論旨ニ掲ケタル如キ一派ノ学説ヲ採用シ現行商法ヲ解釈スル論拠トスルハ誤レリ。故ニ此説ニ従ヒ公訴上告人ノ所為ハ会社ノ保有株券ヲ竊取シタルモノナリト云フ本論旨ハ採用シ難シ。」（大判明三八・三・一三刑抄録一三・一七六四）。

【120】　「会社ノ代表者ハ即チ会社ノ法定代理人ニシテ、其法定代理人ノ為ス行為ハ本人タル会社ノ為メニ為ス意思ヲ包含セサルモノト謂フヲ得ス。而シテ取締役ノ代理権カ法定ノモノナリヤ将タ委任ニ因ルモノナリヤハ他ノ証拠ニ依リテ定メ得ヘキモノナレハ、原院カ専務取締役甲ニハ会社ノ代表権限ナキモ其代表社員乙ノ委任ニ因リ代理権ヲ有スルコトヲ証拠ニ依リ確定シ本件手形ノ署名文言ヲ以テ会社ノ代理人タル甲カ会社ノ為メニ為スモノナルコトヲ表示シテ振出及ヒ引受ヲ為シタルモノト解釈シタルハ、代表ト代理トノ性質ヲ混同シテ手形ヲ有効ト為シタル不法アルモノニ非ス。」（大判大一〇・一〇・六民録二七・一七八七評論一〇商法五九九）。

代表取締役は実定法上の取扱においては代理人と同視せられるから、その行為は、特に会社のためにすることを表示しないときでも、会社に対して効力を生じ（商五〇四）（同旨、大判大七・五・一五【121】。なお東京地判昭三〇・四・一四【123】参照。ただし、手形行為については顕名主義、大判大一〇・一・二二評論一〇商法二九、東京控判大一四・四・一三評論一四商法一六六、京都地判大一三・四・一九評論一三商法五四五）、また会社の善意・悪意が問題となる場合には代表取締役について決せられる（民一〇一参照）（会社の不当利得につき同旨、大判明四四・二・一六【122】）。取締役が代表資格を表示しないで取引をなした場合には、当該取引が会社のためにする取引であるか取締役個人の取引であるか明らかでない場合が多いが、取引の相手方においてその者が会社の代表取締役なることを知っているときは（商五〇四但書参照）、取締役個人を買主とするとの特別の意思表示がなく且つその取引が会社の営業に関するものである限り、会社が買主たる地位に立つものとみとめられる（東京地判昭三〇・四・一四【123】）（なお、大阪地判昭三二・二・八金融法務事情一三九・一三は小規模の同族会社の代表取締役が会社の借入金の領収証として個人名義の名刺を使用した一事をもって、右代表取締役個人が会社のため、借入金について連帯債務を負担したことを認定する資料とはなし難いとしている）。

【121】　「会社ノ取締役ハ其代理人ナルヲ以テ会社ノ取締役カ会社ノ為メニスルコトヲ示サスシテ為シタル商行為ニ付キ商法第二六六条〈現五〇四条〉ノ適用アルコト言ヲ待タス。故ニ論旨ノ(一)〈同条ハ商行為ヲ為スヘク授権行為ニ依リ代理ヲ為ス代理人カ簡便ノ為メ本人ヲ表示セスシテ相手方ト法律行為ヲ為シタル場合ノ規定ナリト解スルヲ相当ト考フ、本来株式会社ノ取締役ハ会社ノ代理人ニアラス会社ノ機関ナリ、故ニ其会社ヲ代表シテ法律行為ヲ為ス場合ニハ取締役ノ意思即チ会社ノ意思ナリ、授権代理ニ於テ代理人ノ意思表示カ直接ニ他ノ人格者タル本人ノ為メニ効力ヲ生スル場合トハ異ル、但授権的代理ト云ヒ機関的代表ト云ヒ実ハ何レモ法律ノ擬制ナレトモ右ハ各異リタル思想ナルヲ以テ其一ニ対スル法則ヲ以テ他ノ場合ニ拡張スルコトヲ得ス、且今日ノ社会生活ニ於テ会社取締役カ会社ノ取締役トシテ行動スルコトヲ明示ニモ黙示ニモ表示スルコトナク全然自己ノ為メニスルト同一行為ヲ為シタル場合ニ商法第二六六条ヲ引用シテ此行為ノ当事者ハ会社ナル旨ヲ主張スルコトハ百害アリテ一利ナシ〉ハ理由ナシ。」（大判大七・五・一五評論七商法四三一）。

【122】　「本件〈非債弁済取戻請求事件〉ニ於テ会社ノ悪意ナルヤ否ハ、民法第百一条ニ準拠シ会社ノ機関カ悪意ナルヤ否ニ依リテ決セラルヘキモノナルヲ以テ、原院カ上告会社ニ悪意ノ受益者タルノ責任ヲ帰シタルハ法則ヲ不当ニ適用シタルモノニ非ス。」（大判明四四・二・一六民録一七・六一民抄録四〇・九二二七新聞七〇六・二七）。

【123】　「被告甲は被告〈乙石炭〉会社の代表取締役であり、被告会社は同人が専ら経営管理していたものであって、本件取引の相手方丙はこの事実を知っていたことが認められる。かかる状態の下に被告甲が被告会

社の営業に関する取引をなした場合には当事者間に別段の意思表示なき限り、被告会社が取引の当事者となるものと解すべきところ、本件取引が被告会社の営業に関するものであることは弁論の全趣旨から認めることができ、又前掲各証拠によれば乙は本件取引当時、買主が被告甲か、被告会社かをはつきり区別せずに、どちらでも実質は同じである位の気持であつたことが認められ、成立に争のない甲第二号証及び第三号証の一〈代金債権の譲渡通知書〉に被通知人として甲なる記載があるにしても、かかる事情の下では買主が被告甲であつたと認めるに足りないし、他に、特に当事者間に被告甲を以つて買主とする旨の意思があり、その意思の表明せられた事実を認めるに足る証拠がないから、本件ライラック号軽自動二輪車の買主は被告会社であると認めるのが相当である。」（東京地判昭三〇・四・一四下級民集六・四・七〇七判時五四・二一）（評釈、奥山・ジュリスト一五八・四四）。

（四）　代表取締役の代表権の範囲は、単に会社の営業に関する行為のみならず、会社の目的の範囲内に属する一切の行為に及ぶと解しなければならないが、不可制限的な包括的代表権がみとめられるのは、会社の営業に関する一切の裁判上及び裁判外の行為に限られなければならない（商二六一Ⅲ・七八Ⅰ、前商二六一Ⅲ・七八Ⅰ、旧商一七〇Ⅱ・六二Ⅰ。なお商二六一Ⅲ・七八Ⅱ・民五四、前商二六一Ⅲ・七八Ⅱ・民五四、旧商一七〇Ⅱ・六二Ⅱ・民五四参照）。いわゆる会社の営業に関する行為とは、会社のなしうべき一切の対外的行為をいうのではなく、会社の組織又は営業の基礎に関する行為（新株の発行・会社の合併・営業の譲渡又は賃貸・経営の委任・営業の譲受又は廃止・新規営業の開始など）を含まないと解せられる（同旨、大隅・園部・前掲一六五、野津・前掲一一〇三）。そして、これらの会社の営業に関しない行為の多くについては、商法の規定により株主総会又は取締役会の決議が要求されており（例えば商二八〇ノ二、二四五など）、且つその決議はそれらの行為の有効要件をなすものと解せられるから、かかる決議がないか又は瑕疵により無効とされる場合には、その決議の存在を前提としてなされた代表取締役の代表行為は相手方の善意・

悪意にかかわらず無効たるものと解しなければならない（旧法上株金分割払込制のもとにおける株金払込催告の効力に関する大判昭五・五・二三【124】参照）。代表取締役が後に取消判決により取消された株主総会の決議にもとづいてなした代表行為の効力に関し、二、三の判例は、総会の決議につき取消判決が確定するときは、決議はその成立の当初に遡つて無効となり、当該決議にもとづいて会社対株主の内部関係においてなされた行為は無効とならざるをえないが（会社解散決議にもとづき清算人のなした行為に関する大判昭六・六・五【125】、同・福岡地判昭四・一二・九【126】参照）（ただし大判大一〇・七・一八評論一〇商法四一五は、株主は判決に拘束される結果、決議の無効及び決議を前提として会社・株主間でなされた行為の無効を否定しえないと解する）、会社外部の関係において代表取締役が決議の執行として第三者となした行為は、その効力に何らの影響を受けないものと解している（【125】【126】）（なお、決議取消の判決は将来に向つてのみ効力を生ずるとの立場から、総会決議にもとづいてなされた債務免除の意思表示は取消判決により効力を失わないと解した判決もある、東京控判明三八・一〇・一〇明治三八年（ネ）第七二九号）。ここでは株主総会の決議が性質上会社内部の意思決定にすぎないことがその理由とせられているが（【125】。なお【126】参照）、それはむしろ代表取締役の代表権の内部的制限の問題として把握せられるべきであり、且つ会社の営業に関する行為について妥当するものと解しなければならない。代表取締役が取締役会の決議にもとづいてなすべき行為の効果に関しても同様である。ところで、代表取締役の代表権については内部的に制限を加えること自体は何ら差支えなく、代表取締役が「商法ノ規定上会社ヲ代表スル権限ヲ有スルハ、会社ノ代表機関トシテ外部ニ対スル第三者トノ法律関係ニ外ナラサレハ、之ヲ以テ会社ノ内部ニ於ケル同人ノ任務権限ヲ定ムルノ標準ト為スヘキモノ」ではないのである（大判大三・一二・二二【127】）。すなわち、対外関係を伴なう業務執行に関し、取締役会が、その決議又は決議にもとづく業務規則をもつて、一定の事項（例えば一定額以上の取引）については取締役会の決議によるべきことを定めるのはもとより、或いは他の代表取締役ないし業務執行取締役との間に上下統率の関係を定めてその同意を得べきものとし、或いは他の代表取締役ないし業務執行取締役との間に業務の分担を定めて特定業務のみを担当せしめ、或いは一営業所の営業のみに代表権を限定する等の定めをなすことも差支えなく、代表取締役がこれらの定めに違反するときは、会社に対して任務違反による責任を免れない。しかし、これらの定めに違反して対外的に代表行為がなされたときは、それが会社の営業に関する行為であるかぎり、会社は善意の第三者に対してはその責に任じなければならないのである（商二六一Ⅲ・七八ⅠⅡ・民五四、前商二六一Ⅲ・七八Ⅰ Ⅱ・民五四、旧商一七〇Ⅱ・六二ⅠⅡ民五四）。したがつて、単独代表の定めがある会社の一代表取締役が提起した訴を他の代表取締役が取下げた場合においても、「株式会社が会社の代表取締役の一人に或る事件を処理させることとしたのは、代表取締役の本質からみて、単に会社内部において代表取締役に対する会社事務の分配をしたに過ぎない、他の代表取締役の代表権を制限したものでないと解するのが相当」であつて、その訴の取下は有効と解せられ（福岡高判昭三三・一〇・二六【128】）、また、会社の代表権限ある取締役の締結した軌道買入契約は、たとい実際上当該取締役にその権限がなくても、「是レ会社ノ内部関係ニ於テ効力アルノミニシテ、斯ル代表権限ノ制限ハ之ヲ以テ善意ノ第三者ト認ムヘキ者ニ対抗スルコトヲ得サルモノトス」とみとめられるのである（東京控判大一二・一・二三評論一二商法一七。「同旨、社長の同意を要すとの規約ある場合に関する東京控判昭二・七・二九新聞二七四一・一一、重役会の決議をもつて代表権を制限した場合に関する東京地判昭一〇・一一・三〇【129】）。ただし、代表権の制限につき悪意の第三者に対して対抗しうることはいうまでもない（京城覆判大五・八・二九新聞一一七三・二五、朝高判大一五・一二・八朝高判決録三民九一七参照）。なお、代表権の制限は、会社内部の規約によると取引の慣習にもとづくとを問わず、善意の第三者に対抗しえないとされ（東京控判明治四三年【130】）、また、単独代表の制度のもとにおいて、取締役が銀行との間における手形の振出・書類の提出・印鑑の届出等につき自己の名義を表示せず、他の取締役の名義を使用した事実があるからといつて、当該銀行がその取締役の代表権に制限があることを知つていたことを推認せしめるに足りないものとみとめられる（東京地判昭一〇・一一・三〇【129】）。

【124】「株式会社ノ定款ニ株金ノ払込ニ付取締役会ノ決議ヲ要スル旨ノ規定アルトキハ、取締役ハ定款ノ規定ニ従ヒ取締役会ノ決議ヲ経テ株金払込ノ催告ヲ為スコトヲ要スルハ論ヲ俟タサル所ナルヲ以テ、取締役会ノ決議ヲ経スシテ為シタル株金払込ノ催告ハ株金払込ノ催告トシテ無効ニシテ、従テ株主モ亦斯ル催告ニ応スル義務ナキコト明ナルヲ以テ、原判決カ前記ノ如ク定款ニ違背シ取締役会ノ決議ヲ経スシテ為シタル株金払込ノ催告ヲ以テ適法ナリト解シタルハ失当ニシテ、論旨ハ此ノ点ニ於テ理由アルモノトス。」（大判昭五・五・二三新聞三一五三・一六）。

【125】「商法第百六十三条〈現二四七条〉ノ規定ニ依ル株主総会決議無効ノ判決〈解散決議取消判決〉ハ決議カ当初ヨリ無効ナルコトヲ確定スルモノナルコト疑ヲ容レスト雖、決議無効ノ判決カ該決議ニ基キ既ニ為サレタル会社ノ行為ニ対シ如何ナル効果ヲ及ホスモノナリヤハ必スシモ一概ニ之ヲ論定スルコトヲ得ス。決議無効ノ判決カ訴訟ノ当事者ト為ラサル株主ニ対シ効力ヲ及ホスモノナルコトハ商法第百六十三条第三項ニ依リ準用セラルル同法第九十九条ノ四ノ規定ニ徴シテ明ナルヲ以テ、株主ハ総テ判決ニ羈束セラレ、従テ該決議ニ基キ会社対株主ノ内部関係ニ於テ行ハレタル行為カ無効トナルモノナルコト論ヲ俟タス。而シテ商法第九十九条ノ六第二項ニハ設立ヲ無効トスル判決ハ会社ト第三者トノ間ニ成立シタル行為ノ効力ニ影響ヲ及ホサスト規定シ、商法第百六十三条第三項ニ於テ同法第九十九条ノ三及第九十九条ノ四ノ規定ヲ準用スルニ拘ラス前示第九十九条ノ六第二項ノ規定ヲ準用セサル点ヨリ見ルトキハ、決議無効ノ判決ハ一見会社ト第三者トノ間ニ成立シタル行為ヲモ無効トスルモノニ非サルヤノ観アリト雖、株主総会ノ決議シタル事項ニ付会社取締役カ其ノ決議ノ執行トシテ第三者ト為シタル行為ハ、仮令後日決議無効ノ判決ニ依リ其ノ決議カ当初

ヨリ無効ト確定シタリトスルモ、株主総会ノ決議ハ性質上会社内部ノ意思決定ニ過キサルヲ以テ、決議無効ノ判決ニ依リ其ノ効力ニ何等ノ影響ヲ受クルモノニ非ス。又株主総会ノ決議ニ依リ又ハ之ヲ前提トシテ選任セラレタル清算人カ其ノ権限ノ範囲内ニ於テ第三者ト法律行為ヲ為シタル後其ノ決議カ決議無効ノ判決ニ依リ当初ヨリ無効ト確定セラレタルトキハ、清算人タル資格ハ当初ヨリ消滅シ無権代理人ト為ルコト明ナリト雖、右ノ如キ場合ニ於テハ民法第百九条ノ規定ノ準用ニ依リ会社ハ清算人カ第三者トノ間ニ為シタル行為ニ付其ノ責ニ任スルモノト解スヘク相当トスルヲ以テ、清算人カ第三者ト為シタル行為モ亦決議無効ノ判決ニ依リ其ノ効力ニ影響ヲ受クルモノニ非スト謂ハサルヘカラス。」(大判昭六・六・五民集一〇・七〇七評論二〇商法六六一新聞三三五一・八)(評釈、松本・判例民事法昭和六年度二九四)。

【126】「商法第百六十三条〈現二四七条〉ニ依ル株主総会決議無効宣言ノ判決カ確定スルトキハ決議成立ノ当初ニ遡及シテ該決議ノ存在ヲ廃棄シ其ノ効力ヲ生セサリシモノト為スハ疑ナキ所ナリ。然レトモ該決議ニ基キ為サレタル行為ノ効果ヲ盡ク無効ト為スハ必要ノ限度ヲ踰エテ法律関係ノ安定ヲ攪乱スル所以ニシテ、無効判決ニヨリ無効トスル範囲ニ付テハ自ラ其ノ限界アリ。即チ第一、会社内部ノ関係ニ付テハ決議ニ基キ為サレタル会社ノ対内的行為ノ中決議ヲ以テ其ノ構成要件ト為ス行為ノ効果ハ無効ナルヘシト雖モ、決議ヲ以テ行為自体ノ直接ノ効果発生要件ト為サス単ナル形式的前提要件ト為スニ止ル行為ノ効果ハ何等直接ノ影響ヲ受クルコトナシ。第二、会社外部ノ関係ニ付テハ株主総会決議カ性質上会社内部ノ意思決定ニ過キサル点ト設立無効判決ノ効力ニ関スル商法第九十九条ノ六第二項ノ類推適用トニ依リ無効ノ効果ヲ及スモノニ非スト解スルヲ相当トス。」(福岡地判昭四・一二・九評論一九商法六二)。

【127】「原判決ハ、証拠ニ依リテ被告甲ハ商法ノ規定上ニ於テハ会社ヲ代表シ得ヘキ権限ヲ有スルモノト云ハサルヲ得サルモ、土地ノ買入等ヲ為ス場合ニ在テハ会社ノ内部ノ関係ニ於テ必ス取締役会ノ決議ヲ経テ玆ニ始メテ現実ニ会社ヲ代表スヘキ任務権限ヲ有シ、其ノ決議以前ニ在テハ絶対ニ会社ヲ代表シテ買入ヲ為スノ権限ナク又其任務ナキモノナルコトヲ判定シタルモノナリ。蓋、取締役タル甲カ〈中略—本文中ニ引用〉。

取締役ハ会社ノ内部ニ於テ会社ノ業務ヲ執行スルノ権限ヲ有シ且ツ義務ヲ負フモノナレトモ、会社ノ業務執行ハ定款ニ別段ノ定ナキトキハ取締役ノ過半数ヲ以テ決スヘキモノナルコトハ商法第百六十九条ノ規定スル所ニシテ、原判決ノ如ク民事原告会社カ其業務執行ニ付定款第三十八条及事務規定第一章ノ規定ヲ以テ取締役会ノ決議ヲ経テ執行シ得ルモノトシタルハ洵ニ適法ノモノナレハ、本件ノ土地買入ニ関シテモ、取締役会ノ決議アリシニ依リ甲ハ会社内部ノ関係ニ於テ始メテ其買入ニ関スル業務ヲ執行スルノ任務権限ヲ有シ、其業務ニ関シ茲ニ始メテ会社ト取締役タル甲トノ間ニ商法第百六十四条第二項〈現二五四条三項〉ニ所謂委任ニ関スル規定ニ従フヘキ関係ヲ生シタルモノナリトス。故ニ会社内部ノ関係上取締役会ノ決議以前ニ於テハ被告甲ハ土地買入ニ関スル業務執行ノ任務権限ナカリシモノナレハ、外部ニ対シ取締役トシテ会社ヲ代表スルノ権限ヲ有シ、且業務執行ニ関スル内部ノ規定ニ背キ法律行為ヲ為シタランニハ、其法律行為ハ第三者ノ利益ノ為メ会社ニ対シ其効力アルモノナリト雖モ、甲ト会社トノ関係ニ於テハ土地買入ヲ為ササルコトハ背任トナルヘキモノニアラス。」（大判大三・一二・二一評論三刑法三九四）。

【128】　「甲及び乙が共に控訴会社の代表取締役であり、かつ控訴会社において、代表取締役につき共同代表に関する規定のないこと記録中の登記簿謄本によつて明かである。したがつて、共同代表の定めのない限り、代表取締役各自会社を代表して会社の営業に関する一切の裁判上又は裁判外の行為を為し得べきものであるから、控訴会社の代表取締役たる右乙のした本訴の取下は適法である。控訴人は、控訴会社において、本件の処理は専ら代表取締役である甲が当ることに定まつたので、他の代表取締役たる乙に会社の代表権はなく、右事実は、控訴人等の原審訴訟代理人が知悉しているので、右のように代表権の制限のあることを知つた悪意の第三者たる被控訴人等には右代表権の制限を以て対抗し得べく、したがつて、本件訴の取下は無効である、と主張するが、〈中略—本文中に引用〉であるのみならず、私法の規定が訴訟行為に類推せられる場合があるとしても、訴の取下は、一審原告が裁判所に対してする一方的の意思表示で相手方に対するもの

ではないので、代表権の制限につき一審被告の知、不知、善意、悪意、等の問題が介入してくる余地なく、又相手方のこれが知、不知、によつて、訴の取下が有効となり、或は無効となつたりするようでは、訴訟行為を何時迄も不確定たらしめて、一般取引の安全を害するに至ることからいうても、商法第二百六十一条第三項の株式会社の代表取締役の代表権の制限はこれを以つて善意の第三者に対抗することはできないとの規定を、訴の取下の訴訟行為に類推する余地はない。」（福岡高判昭三二・一〇・二六民集一〇・九・四九七）。

【129】「被告会社ニ於テハ定款又ハ株主総会ノ決議ヲ以テ取締役中会社ヲ代表スヘキ者其ノ他ノ定ヲ為シ其ノ登記公告ヲ経タル事実ナキコト当事者間ニ争ナキ処ナルヲ以テ、右甲ハ被告会社ノ取締役ノ一員トシテ法律上当然ニ会社代表ノ一般的権限ヲ有シタルモノト認ムヘク、然ラハ甲カ右一般的代表権限ニ基キ締結シタル前記消費貸借契約ハ被告ニ対シ其ノ効力ヲ生シタルモノト謂ハサルヘカラス。被告ハ甲ハ被告会社ノ取締役ト為リ居レトモ会社内部ノ事務管掌上同人ニ会社代表ノ権限ナク被告会社代表ノ権限アルモノハ常務取締役乙一人ニ限定セラレ居ル旨抗争スレトモ、元来株式会社ノ取締役ハ定款又ハ株主総会ノ決議ヲ以テ其ノ代表権ヲ制限セラレサル限リ各自会社ヲ代表スヘキ権限ヲ有スルモノナルコト商法第百七十条ノ規定ニ徴シ明白ナルトコロナレハ、同法条所定ノ代表権ノ制限ナキ被告会社ニ於テハ、縦令重役会ノ決議其ノ他内部ノ規約ヲ以テ被告主張ノ如キ取締役ノ代表権ヲ制限シタリトスルモ、是レ単ニ会社ノ内部関係ニ於テ其ノ効力ヲ生スルニ止マリ、克ク善意ノ第三者ニ対抗シ得ヘキ限ニ非ス。果シテ然ラハ此ノ点ニ関シ特ニ原告銀行ニ於テ悪意ナリシ事情ノ認メラレサル本件ニ於テハ、被告ハ甲ニ被告会社代表ノ権限ナキ旨ヲ主張シテ本件消費貸借ニ因ル債務ヲ免ルルコトヲ得ス。尤モ甲ハ前記各約束手形ノ振出ニ際シ自己固有ノ取締役名義ヲ表示セス被告カ会社代表権者ナリト主張スル取締役乙ノ名義ヲ使用シタルノミナラス、〈中略〉甲ハ本件取引ニ使用セラルヘキ印鑑ヲ乙取締役ノ印ヲ以テ之ニ充ツル旨原告銀行ニ届出ヲ為シ、前記当座勘定取引ニ関スル申込書ヲ始トシ本件手形貸付ニ関スル書類ニ総テ乙取締役ノ作成名義ヲ用ヒタリト雖、斯ノ如キ振出ノ方式

ニ依ル約束手形カ手形法上其ノ効力ヲ認容セラルヘキヤ否ヤハ姑ク之ヲ置キ、右ノ如キ事実ハ未タ以テ原告カ本件法律行為ヲ為スニ当リ甲ニ被告謂フカ如キ代表権ノ制限アリタル事実ヲ知リ居リタルコトヲ推認セシムルニ足ラサルノミナラス、却テ前顕各証拠ニ拠レハ甲ハ取締役トシテ有スル前記一般的代表権限ニ基キ被告ノ為ニスル意志ヲ表示シテ原告トノ間ニ消費貸借ノ意思表示ヲ為シタルモノニシテ、唯之カ関係書類ヲ作成スルニ当リ被告会社内部ノ慣例ニ倣ヒ乙取締役ノ名義ヲ用ヒタルニ過キス、固ヨリ取締役トシテ当然ニ為シ得ヘキ権能ヲ行使シタル結果ニ外ナラサルヲ以テ、原告モ亦甲ノ右処置ニ対シ聊カノ疑念ヲモ挿ミタルコト無ク全ク善意ナリシ事実ヲ肯認スルニ足ルトコロナリ。＜中略＞凡ソ取締役カ会社ノ為ニスルコトヲ示シテ消費貸借契約手形ノ振出等ノ法律行為ヲ為シタル場合ニ於テ、該行為カ客観的ニ観察シテ会社ノ為ニ為サレ且会社ノ目的ノ範囲内ノ行為ト認メラレルトキハ、縦令該行為カ其ノ実質ニ於テ会社ノ事業ノ遂行ニ必要ナク却テ該取締役個人ノ利益ヲ図ルカ為ニ為サレタル場合ト雖、該事実ヲ知ラスシテ取締役ト法律関係ヲ取結ヒタル第三者ニ対シ会社ハ其ノ法律行為ニ因ル責任ヲ負担スヘク、右第三者カ叙上事実ニ付悪意ナリシ場合ニ限リ会社ハ其ノ責ヲ免ルルモノト解スルヲ相当トス。」（東京地判昭一〇・一一・三〇評論二五商法一二〇）。

【130】「小切手ニ支払保証ノ記載ヲ為スハ小切手ノ支払ニ関スル行為ニシテ銀行取引ニ属スルモノナルカ故ニ、控訴銀行ノ業務執行ニ付キ一切ノ権限ヲ有スル取締役ニ於テ此記載ヲ為シタル以上ハ被控訴人ノ小切手ヲ取得スルニ当リ適正ノ業務執行トシテ此記載カ為サレタルモノト信スルハ当然ナルヲ以テ、取締役カ取引ノ慣習ニ遵ハスシテ振出人ノ資金ナキニ拘ラス支払保証ヲ為シタリトスルモ、資金欠乏ノ事実ヲ被控訴人ニ於テ知了セル事カ立証セラレサル限リハ、控訴銀行ハ取締役ノ代理権ニ加ヘタル制限ヲ以テ被控訴人ニ対抗スルヲ得ス。控訴銀行ハ慣習ニ基ク制限ナルカ故ニ何人ニモ対抗スルヲ得ト主張スルモ、取締役ノ代理権ノ制限カ会社内部ノ規約ニヨルト取引ノ慣習ニ基クトヲ問ハス善意ノ第三者ニ対抗スルヲ得サルハ言ヲ俟タサル所ニシテ、控訴銀行ノ所謂慣習ハ一般ニ支払保証ヲ禁止スト云フニ非スシテ資金ナキモノノ振出ニカカ

ル小切手ノ支払保証ヲ為スヲ得スト云フニアルカ故ニ、被控訴人カ此慣習ヲ知悉シタリトテ之レカ為メ直チニ本件小切手ニ関スル取締役ノ越権行為ヲ推知シタリト為スヲ得サルヲ以テ、控訴人ノ抗弁ハ採用スルニ由ナシ。」（東京控判明治四三年（ネ）第二九二号新聞七四〇・一九）。

（五）　代表取締役が代表権を濫用した場合においても、その行為が客観的に会社の営業に関するものとみとめられる限り、会社は善意の第三者に対してその責を免れることをえない。例えば、会社を代表する取締役がその資格を表示して約束手形を振出した以上は、たとい、その振出行為が取締役個人の債務支払に充当するなど自己の個人的利益をはかるためになされた場合であつても、会社は善意の手形所持人に対して手形上の責任を負わなければならない（大判昭一三・二・八評論二七商法一四七。結論的に同旨、大判昭一三・六・一一【131】。反対、大判昭一三・六・一〇新聞四二一五・一三、評釈、中川・商事判例研究三・一八一は、暗黙に、もし取締役個人の利益のために小切手が振出されたのなら無効と解している）。この場合、当該取締役が内部的に会社に対する損害賠償義務を免れえないことはいうまでもない（東京控判昭九・一一・二七評論二四商法一〇九、東京控判昭一二・一〇・二九【142】、東京地判大一一・七・二八評論一一商法三三一参照）。かように取締役がその代表権を濫用した場合においても会社はその責任を免れえないが、この代表権の濫用の問題はややもすると会社の権利能力の範囲の問題との明確な区別なくして取扱われがちであつて、判例のうちにもそのような事例が多く（大判大一〇・一・二一【132】、大判大一四・七・一三【133】、大判大一四・一二・一二【140】、大判昭三・七・一九【134】、大判昭一三・六・一一【131】、東京控判大一五・五・一一評論一六商法二七一、朝高判昭七・一〇・四朝鮮司法協会雑誌一一・一二・六六、東京控判昭一二・一二・一〇新聞四二四二・一四、東京地判昭一〇・一一・三〇【129】）、明らかに代表権の濫用の問題と会社の権利能力の範囲の問題とを混同している例もなしとしない（例えば大判明四五・七・四刑録一八・一〇一三、大判大一〇・一・二一【132】、大判昭一三・六・一一【131】、東京控判大一五・五・一一評論一六商法二七一（前出）、朝高判昭七・一〇・四朝司協一一・一二・六六（前出））。会社の目的の範囲を制限的に解する立場においては、代表権存在の前提をなす会社の権利能力の範囲の問題がおのずから強く表面に押し出されることとなるが（大判大一四・一二・一二【140】、大判昭三・七・一九【134】など前記の判例でも、問題の行為が会社の目的の範囲内に属し、権利能力の範囲内にあることを先ず確定し、しかる後にかかる行為に関する権限濫用の効果が判示されている）、しかし上述の二つの問題を混同することは許されない。会社代表者の権限の濫用が問題となるのは、本来会社の権利能力の範囲内の行為についてであつて、会社の権利能力の範囲内の行為であるか否かが権限濫用の問題の先決事項である。そして或る行為が会社の権利能力の範囲内のものであるか否かは客観的事実に属し、会社代表者の主観的意図や第三者の善意悪意によつて変化するものではない。したがつて、大審院が、会社代表者が内実自己の利益のためになした手形の振出に関し、取得者が善意のときは、会社の目的の範囲内に属し会社はその責に任じなければならないとしているのは（大判昭一三・六・一一【131】）、明らかに不当といわなければならない。会社がその手形につき手形上の義務を負うのは当該手形の振出が会社の権利能力の範囲内の行為だからであり、会社が悪意の取得者に対して手形上の義務を免れるのはその振出が代表者の代表権の濫用によるからにほかならないのである（大隅・園部・前掲一六七、大隅・総合判例研究叢書商法(2)三五、田中(誠)・判例民事法昭和一三年度三〇四参照）。判例に現れた代表権濫用の具体的事例としては、自己のために金融をはかる意図で会社のためにすることを表示してなした消費貸借契約（東京地判大一〇・六・一七評論一二商法一六一、東京地判昭一〇・一一・三〇【129】）・自己の個人債務を担保するためになした会社財産の質入（東京控判昭一四・一二・二七評論二九商法一六九）又は会社財産に対する抵当権の設定（東京地判大一〇・六・一七評論一二商法一六一(前出)）なども見られるが、圧倒的に多いのは振出・引受・裏書・保証などの手形行為又は小切手行為であつて、これらの行為につき会社の責任をみとめる根拠としては、或いは手形の不要因且つ形式権的有価証券性をあげ（東京地判昭二・六・二〇新報一三四・一九）、或いは代表権の濫用があつても振出行為自体は公序良俗に反する無効のものとなしえないとし（東京控判昭九・一一・二七評論二四商法一〇九(前出)）、或いは代表権の濫用をもつて超権代理（東京地判大一四・一〇・二二【135】）又は代表権に対する内部的制限の問題とみとめ（合名会社の代表社員に関する大判昭一〇・三・二七【136】）、或いは代理人がその権限内で本人のためにすることを表示してなした意思表示が本人に対して効力を生ずる旨を定めた民法第九九条は代理人の真意の如何によりその適用上何ら影響を受けないとし（大判明三九・三・二〇【137】、大判昭三・七・一九【134】、大判昭一三・二・八新聞四二三八・一四、東京控判明三八・一一・二一新聞三二三・二〇、東京地判明治四三年（ワ）第九三五号新聞六八三・二五）、或いは心裡留保に関する民法第九三条の原則により会社の責任がみとめられるとする（東京控判大五・二・二六【138】、東京地判大二・一一・一二新聞九一一・二一、東京地判大一〇・六・一七評論一二商法一六一（前出））など種々の説明がなされている。この最後の見解によれば、当該行為は相手方が権限濫用の事実を知り又は知ることをうべかりし場合には、民法第九三条但書の規定にもとづき無効たらざるをえないこととなる（大判昭一六・五・一【139】。したがって、追認によっても有効となしえない）（同旨、末弘・判例民事法大正一〇年度一三、我妻・民法講義総則二五六）。しかしながら、相手方又は第三取得者がたとえ悪意である場合においても代表行為自体は有効と解すべきであって（東京地判大一〇・一一・二九評論一〇商法六〇八及び東京地判昭九・一二・六評論二四民訴法八〇も、第三者が濫用と知って手形を取得してもその効力には影響がなく、手形行為自体は常に有効であり直接に会社に対して効力を生ずるとみとめる）、ただ悪意者が会社に対して権利を主張しえないものと解しなければならない（同旨、竹田・民商法雑誌七・三四三、大隅・前掲総合判例研究三六、野津・前掲一一一）。多数の判決は、濫用の事実を知れる悪意の第三者を保護すべき理由がないから、かかる悪意者に対しては、会社はその行為が会社のためになされたのでないことを主張してその責を免れうるものとしているが（東京控判昭一二・一〇・二九【142】、東京控判昭一二・一二・一〇評論二七諸法四三一（前出一四二頁）、東京地判大一四・一〇・二三【135】、東京地判昭一〇・一一・三〇【129】、合名会社の代表社員に関する大判昭一〇・三・二七【136】）（悪意で取得されたのでない限り会社はその責を免れえないとするもの、大判大一四・一二・二三【140】、東京控判大一二・六・二七新聞二一七六・一八、東京地判昭二・一〇・二七評論一六商法四二、東京地判昭四・三・一六新報一八〇・二七）、相手方が権限濫用の事実を知り又は知ることをうべかりし場合には会社に対して効力を生ぜず（会社の行為としては無効、東京控判昭一四・一二・二七評論二九商法一六九）、相手方に悪意又は過失のない場合に限り会社に対して効力を生ずると解するものもある（東京控判明四五・二・二二評論一民法三六六、東京地判明四二・一〇・一三新聞六一一・二二）。なお悪意の認定に関し、大審院は、会社の代表者が自己の個人名義の債務を決済するために代表者名義を用いて約束手形を振出した場合においても（判例の事案では、自己名義の債務の決済のため振出した自己名義の手形の書換に際し、相手方の要求により代表者名義を冒用してその相手方宛の手形を振出した）、その相手方は必ずしも当該手形の悪意の取得者とは即断しえないと解したが（大判昭一〇・一二・二八【141】）、代表者の個人債務を担保するために会社財産を質入する場合には、その行為が会社事業の遂行に必要であるという特別の事情がない限り、相手方は当該質入が権限濫用によることを知っていたものと認められるとした下級審の判決もある（東京控判昭一四・一二・二七論評二九商法一六九（前出））。他方、一般与信行為を営業目的としない会社の代表者が、個人として振出した手形に会社を代表して保証した場合のように、手形面の記載から直ちに会社事業の遂行に不必要なことを疑うに足る場合は例外とし、そうでない場合には、なされた行為が会社の事業の遂行に必要でないことを主張する者において立証責任を負うとみとめた事例もある（東京控判大一五・五・一二評論一六商法二七〇）。また嘗て大審院は、保険会社の取締役が他人の振出にかかる約束手形に会社を代表してなした保証は会社の保証として有効であるとみとめるとともに、それが取締役個人の資格で振出した手形になされたときは保険事業の遂行に必要な行為ではなく、むしろ取締役個人のためになされたものと解すべきであるとしたが（大判大一〇・一・二二【132】・末弘・前掲一三は、かかる場合には、相手方は「真意」を知ることをうべかりしもの（民法九三条但書）とされる）、この判決の根抵には代表権の濫用の問題と会社の権利能力の問題とを混同した誤りが伏在している。なお、代表取締役の権限濫用により小切手が振出された場合には、会社は悪意の取得者に対してはその責を免れうるが、しかし支払人たる銀行が善意でその支払をなしたときは、その支払は有効であり、会社の右銀行における預金額は支払により減少するものとみとめた判決があるが（東京控判昭一二・一〇・二九【142】）、もとより正当である。

【131】「手形行為ハ一般ニ会社カ其ノ営業ノ為メニ為シ得ヘキ行為ナルヲ以テ、会社ノ代表者カ其ノ資格ニ於テ即会社ノ為ニスルコトヲ示シテ手形行為ヲ為シタル以上、縦令其ノ行為ハ、内実、代表者個人ノ為ニ為シタルモノニシテ会社ノ為ニ為シタルモノニ非サル場合ト雖モ、該手形ノ善意ノ取得者ニ対シ会社ハ其ノ責ニ任スヘキモノニシテ、是レ即、会社カ其ノ目的ノ範囲内ニ於テ義務ヲ負フモノニ外ナラサルモノト解スルヲ相当トス。」（大判昭一三・六・一一民集一七・一二四二）（評釈、田中(誠)・判例民事法昭和一三年度三〇四）。

【132】「生命保険会社モ其目的タル保険事業ニ属スル行為ハ勿論其事業ノ遂行ニ必要ナル行為ヲモ為ス権能ヲ有スルモノナレハ、生命保険会社ノ取締役カ他人ノ振出シタル約束手形ニ付キ手形法上ノ保証ヲ為シタルトキハ、其保証ハ保険事業ニ属スル行為ニ非スト雖モ其事業ノ遂行ニ必要ナル限リ会社権能ノ範囲ニ属シ会社ノ保証トシテ有効ナルモノト謂フヘシ。而シテ斯ノ如キ保証ハ反証ナキ限リ保険事業ノ遂行ニ必要ナル行為ナリト認定スルハ経験上ノ法則ニ適合スレトモ、其約束手形カ保証ヲ為シタル取締役個人ノ資格ニ於テ振出サレタルモノナルトキハ、其保証ハ其保険事業ノ遂行ニ必要ナルモノニ非ラスシテ寧ロ取締役個人ノ為ニ為サレタルモノト解スルヲ相当トス。従テ其保証ヲ以テ取締役個人ノ為メニ為サレタルモノニ非スシテ保険事業ノ遂行ニ必要ナル行為ナリト判示スルニハ其然ル所以ノ具体的事実ヲ認定セサルヘカラス。」（大判大一〇・一・二一評論一〇商法二九）（評釈、末弘・判例民事法大正一〇年度一一）。

【133】「原院ハ、本件為替手形及小切手ハ被上告会社ノ取締役タリシ甲カ個人トシテ自己ノ関係セル事業ニ窮迫シタル結果被上告会社ノ信用ニ因リ金融ヲ図ラントシ同会社ノ取締役タル資格ヲ冒用シテ振出シ且為替手形ニ付テハ是亦其ノ資格ヲ冒用シテ引受ヲ為シタルモノニシテ、即本件手形行為ハ何レモ被上告会社ノ目的ノ範囲外ノモノナルニヨリ同会社ハ手形上ノ義務ナシトノ理由ニ基キ、上告人ノ請求ヲ排斥シタリ。然レトモ上告人ハ本件手形ノ正当ナル所持人トシテ被上告会社ニ対シ手形金ノ支払ヲ請求スルモノナルニヨリ、上告人ノ請求ヲ排斥セントスルニハ須ク上告人ハ叙上ノ如キ事由ヲ知悉シテ本件手形ヲ取得シタルモノナル

コトヲ判示セサルヘカラス。蓋会社ハ其ノ目的トスル事業ヲ遂行スル為ニ手形行為ヲ為シ得ヘキハ勿論ナルヲ以テ、会社ノ代表者カ会社ノ為ニスルコトヲ表示シテ手形行為ヲ為シタル場合ニ、其ノ実代表者個人ノ利益ヲ図ルカ為ナルカ如キ、畢竟会社ノ内部ノ事情ニ依リ代表者ノミ知ルコトヲ得ヘク第三者ハ容易ニ之ヲ窺知スルコトヲ得サル事実ヲ以テ尚善意ノ手形所持人ニ対シテモ主張シ得ヘキモノトセンカ、所持人ハ不測ノ損害ヲ被ムルニ至リ延テ手形ノ流通ヲ阻害スル結果ヲ生スルニ至レハナリ。然ルニ原院ハ此ノ点ニ付何等審究スル所ナク漫然冒頭説示ノ如キ理由ノ下ニ上告人ノ請求ヲ棄却シタルハ審理不盡又ハ理由不備ノ不法アルモノ＜中略＞トス。」（大判大一四・七・一三評論一四商法三九二）。

【134】「会社ハ其ノ目的タル事業ヲ遂行スルニ必要ナル行為ヲ為スノ能力ヲ有スルモノニシテ、会社カ其ノ金融ノ必要上手形ノ振出引受等ノ行為ヲ為スハ通常ノ事例ナレハ、手形ノ振出引受等ヲ為スハ会社ノ目的タル事業ヲ遂行スルニ必要ナル行為ニ属スルモノト解スルヲ相当トス。故ニ取締役ハ株式会社ノ法定代理人トシテ手形ノ振出引受等ヲ為ス権限ヲ有スルモノト謂フヘシ。而シテ取締役カ自己ノ必要上ヨリ其ノ資格ヲ濫用シテ手形ヲ振出シ引受ケタル場合ニ於テモ、其ノ権限内ノ事項ニ付本人ノ為ニスルコトヲ示シテ意思表示ヲ為シタル以上ハ会社ノ為ニ効力ヲ生スルモノトス。何トナレハ代理行為タルニハ代理人ノ真意カ本人ノ利益ヲ図ルニ在リヤ又ハ其ノ資格ヲ利用シテ不正ニ自己ノ利益ヲ図ラントスルニ在リヤヲ問ハサルコト当院判例ノ認ムル所ナレハナリ（大正四年三月十五日同六年七月二十一日同九年七月三日当院判決参照）。故ニ原院カ訴外甲ハ上告会社（控訴会社）ノ社長取締役トシテ＜中略＞為替手形ヲ振出シ即日之ヲ引受ケタルモノナル処、右手形ノ振出引受ハ甲個人ノ必要上其ノ取締役タル資格ヲ濫用シテ為サレタルモノナルモ尚会社ノ目的タル事業ヲ遂行スルニ必要ナル行為タルヲ妨ケスト判断シ、上告会社ハ手形所持人タル被上告人ニ対シ右手形上ノ責任ヲ負担スヘキ旨判示シタルハ不法ニ非ス。」（大判昭三・七・一九新聞二八九三・一三評論一七商法五八〇）。

【135】「会社ノ取締役社長ハ会社名義ヲ以テ手形行為ヲ為シ得ルコト論ヲ俟タサルトコロニシテ、其手形

行為カ偶々会社ノ為メニ為サレタルニアラスシテ自己個人ノ為メニ為サレタル場合ニ於テモ直チニ偽造ニシテ之カ責任ナシト断スルヲ得ス。蓋シ手形行為ヲ為シ得ル権限アルモノカ其名義ヲ以テ偶々自己ノ私利ヲ図リ手形行為ヲ為シタル所謂権限超越ノ場合ニ於テハ、何等権限ナキモノト異リ直チニ之ヲ以テ偽造ニシテ無効ナリトセンカ、第三者ハ手形ノ実否ニ付一々調査シ判断スルニ非サレハ安ンシテ其授受ヲ為シ得サルニ至リ、取引ノ円滑安全ヲ害スルコト甚シケレハナリ。依テ権限超越ノ行為ニヨリテ為サレタル手形行為ナルコトヲ知リテ取得シタル悪意取得者ニ対シテハ無効ヲ主張シ得ヘシト雖モ、善意取得者ニ対シテハ無効ヲ以テ対抗シ得サルモノト謂ハサルヘカラス。」（東京地判大一四・一〇・二二新聞二四八六・一〇）。

【136】「合名会社ノ代表社員ハ会社ノ営業ニ関スル一切ノ裁判上又ハ裁判外ノ行為ヲ為ス権限ヲ有シ其ノ代表権ニ加ヘタル制限ハ之ヲ以テ善意ノ第三者ニ対抗スルコトヲ得サルハ商法第六十二条〈現七八条〉及民法第五十四条ノ規定ニ徴シ明ナル所ナルカ故ニ、会社ヲ代表シテ約束手形ヲ振出スカ如キコトモ亦其権限ニ属スルモノト言ハサルヲ得ス。然レハ合名会社ノ代表社員カ会社ヲ代表シテ約束手形ヲ振出シタルトキハ、偶々自己ノ利益ヲ遂ル目的ヲ以テ為シタルモノトスルモ之レ只内部関係ニ於テ問題トナルニ止マリ、手形ノ形式ヨリスレハ会社ノ代表社員カ其権限内ニ於テ振出シタルモノニシテ毫モ作成名義ヲ偽レルモノニアラサルカ故ニ、之ヲ以テ偽造手形ナリト做スヲ得ス。従テ会社ハ悪意ノ所持人ニ対シテ右ノ事由ヲ対抗シテ手形金ノ支払ヲ拒否スルコトヲ得ヘキモ、善意ノ所持人ニ対シテハ其ノ支払請求ヲ拒ム由ナキモノトス。」（大判昭一〇・三・二七評論二四商法二二八新聞三八三三・一八）。

【137】「銀行ノ取締役カ銀行ノ為メニ手形行為ヲ為スノ権限ヲ有スルコトハ言ヲ俟タサル所ナルカ故ニ、取締役甲カ右権限内ニ於テ銀行ノ為メニスルコトヲ表示シ署名ノ上被上告人ニ為シタル手形ノ裏書ハ直接ニ上告会社ニ対シテ其効力ヲ生スヘキハ民法第九十九条ノ規定スル所ニシテ、其代表者タル甲ノ真意カ果シテ銀行ノ利益ノ為メニスルノ意思ナリシヤ将又其取締役タル地位ヲ濫用シ不正ニ自己ノ利益ヲ計ラントスルニ在

リシャハ右法条ノ適用上何等ノ影響ヲ及ホスモノニ非ス。若シ上告人所論ノ如ク取締役ノ真意如何ニ依リ其効力ヲ左右スヘキモノトセハ第三者ハ不測ノ損害ヲ蒙リ安ンシテ代理人ト取引ヲ為スモノナキニ至ラン。然レハ則チ原院カ『本件手形ノ裏書ヲ取締役タル甲ニ於テ偽造シタルモノトシ同人カ処罰セラレタリトスルモ第三者タル被控訴人(被上告人)ニ対シテハ裏書譲渡タル効力ヲ生シ本人タル控訴会社ハ其義務ヲ免カルヘキモノニ非ス』ト判示シタルハ誠ニ相当ニシテ、本論旨ハ代理ノ法則ヲ誤解シタルモノトス。」(大判明三九・三・二〇民録一二・四七五民抄録二八・五九六五)。

【138】「控訴人ハ甲カ其資格ヲ濫用シテ手形ヲ偽造シタルモノナリト抗弁スレトモ、取締役ハ会社ヲ代表シテ手形ヲ振出スノ権限ヲ有スルモノニシテ甲カ縦令取締役ノ地位ヲ利用シテ自己ノ利益ヲ図ルノ意思ヲ以テ手形ヲ振出シタリトスルモ(之レカ手形ノ偽造トナルコトハ訴訟代理人ノ意見ニ過キス)、是レ真意ヲ留保シタルニ外ナラス。同人カ控訴会社ノ為メニスルコトヲ示シテ振出行為ヲ為シタルコト前顕証拠ニ依リ明カナル以上ハ控訴会社ニ対シ其行為ノ効力ヲ生スヘク、留保セラレタル真意ハ何等ノ効力ヲ生セサルモノトス。」(東京控判大五・二・二六評論五商法二三三)。

【139】「然レトモ本件記録ニ依レハ、前上告審ハ、株式会社ノ取締役カ会社ノ為メニスル意思ヲ有セス自己ノ利益ノ為メ表面上会社ノ代表者トシテ法律行為ヲ為シタル場合ニ於ケル該法律行為ノ効力ハ、民法第十三条心裡留保ニ関スル法律ニ準拠シテ之ヲ決定スヘキモノト做シ、以テ前控訴審カ訴外株式会社甲銀行ニ於テ被上告会社ノ取締役乙カ自己ノ利益ノ為メ権限ヲ濫用シタル事実ヲ了知シテ本件手形取引ヲ為シタルヤ否ハ本件手形債務ノ発生ニ影響ナシト解シタルハ心裡留保ニ関スル法理ヲ誤解シテ裁判ヲ為シタル違法アルモノトシ、之ヲ理由トシテ前控訴審判決ヲ破毀シ本件ヲ原審ニ差戻シタルモノナルコト明ナリ。然ラハ原審カ本件ニ付裁判ヲ為スニ当リテハ前上告審ノ右法律上ノ判断ニ覊束セラルヘキモノト云ハサルヘカラス。果シテ然ラハ、前論旨ヲ判断スルニ当リ説示シタルカ如キ事実ヲ原審カ適法ニ認定シタル上、心裡留保ノ法理ニ準

拠シテ乙カ大正十五年三月十日被上告会社ノ取締役トシテ本件二十万円ノ約束手形ヲ振出シタル行為ヲ無効ナリト判断シタルハ正当ナリトス。然リ而シテ叙上ノ如キ理由ニ拠リ無効ナル手形行為ハ上告理由第六点所論ノ如ク追認ニヨリ有効トナルモノニ非ス。〈中略〉論旨ハ畢竟右ト異ル独自ノ見地ニ立脚シテ原審ノ為シタル理由ノ具備セル相当ナル判断ヲ批議スルモノニシテ採容ニ値セス。」(大判昭一六・五・一新聞四七二一・一七)。

【140】「株式会社ノ取締役ハ会社ノ目的タル事業ニ属スル行為及其ノ目的タル事業ヲ遂行スル為必要ナル行為ニ付テハ会社ヲ代表スル権限アルコト勿論ニシテ、原判決ノ確定セル所ニヨレハ被上告会社ハ有価証券ノ割賦販売ヲ営業トスルモノナレハ経済上一種ノ金融業ニ属スル商事会社ト謂フヘク、斯ル会社ハ其ノ営業ヲ遂行スル必要上一般ニ手形行為ヲ為スノ能力アルコト云フヲ俟タス。然ラハ被上告会社ノ取締役タル甲カ会社ヲ代表シテ手形ノ裏書ヲ為サハ、其ノ実甲個人ノ利益ノ為ニ為シタルモノナリトスルモ、其ハ会社ノ代表者カ不正ノ意思ヲ包蔵セルカ為ニ会社ニ対スル内部関係ニ於テ代表権濫用ノ結果ヲ来スニ止マリ、之カ為外部ニ対シ直ニ代表権ナクシテ為シタルモノト謂フヲ得ス。然ラハ原判決カ被上告会社ノ取締役タル甲ノ会社ヲ代表シテ為シタル手形ノ裏書ニ付キ其ノ裏書カ偶甲個人ノ利益ノ為ニ為サレタリトノ一事ヲ以テ被上告会社ハ何等拘束ヲ受ケサルモノト速断シ、被裏書人タル上告会社カ右甲ノ代表権濫用ノ事実ヲ知レルヤ否ヤノ点ニ亙リ考慮判断セサルハ、審理不盡ノ違法アリト謂フヘシ。」(大判大一四・一二・二判例拾遺一民三)。

【141】「会社ノ代表者カ其ノ資格ニ於テ手形ヲ振出シ之ヲ以テ自己名義ノ債務ヲ決済シタリトスルモ、今若シ当該個人ノ名義ノ債務ニシテ本来専ラ会社ノ利益ノ為メニ成立シタルモノナルカ、然ラストスルモ其ノ代表者ト会社トノ間ニ其ノ者カ会社ノ計算ニ於テ当該手形ヲ振出スコトヲ得ヘキ或関係ノ存スルモノトセハ、此ノ手形ヲ目シテ会社ノ代表者カ専ラ自己ノ利益ヲ図ルカ為メニ其ノ資格ヲ冒用シテ振出シタル不正ノモノト断シ難キノミナラス、本来会社ノ代表者カ右ノ如キ事情ノ毫末モ存セサルニ拘ラス擅ニ其ノ資格ヲ冒用シテ不正ノ手形ヲ振出スカ如キハ全ク異例ノコトニ属ス。加之仮ニ会社ノ代表者カ其実専ラ自己ノ利益ヲ

図ルカ為メニ会社名義ノ手形ヲ振出シ之ヲ以テ自己名義ノ債務ヲ決済シタリトスルモ、此ノ事ハ其ノ代表者ト会社トノ間ニ於ケル関係タルニ過キスシテ、第三者ノ容易ニ知リ得ヘキ事実ニ非ス。故ニ本件手形ノ出現ノ事情カ上叙摘示ノ通リナリトスルモ、斯ル事情ヨリ推シテ上告人ハ甲カ専ラ自己ノ利益ヲ図ルカ為メニ被上告会社ノ代表資格ヲ冒用シ本件手形ヲ振出シタルノ情ヲ知リ居リタルモノ即チ該手形ノ悪意取得者ナリト即断シ難キ事多ク言ヲ須キス。」（大判昭一〇・一二・二八裁判例九民三五五全集三・二・二九）。

【142】「一般ニ会社ノ代表者カ其ノ資格ニ於テ為シタル法律行為ハ、仮令会社ノ代表者カ自己又ハ第三者ノ為メニ其ノ代表権限ヲ濫用シタル場合ト雖モ会社ノ為メニ効果ヲ生スヘキモノトシテ善意ノ第三者ヲ保護シ、内部関係ニ於テ当該代表者ヲシテ会社ニ対シ其ノ責ニ任セシムヘキモノト做サルルニ過キス。サレハ右ノ理由ヨリスルモ会社ノ代表者カ自己又ハ第三者ノ為メニ会社ノ代表者名義ヲ以テ法律行為ヲ為シタル場合其ノ代表権限濫用ノ事実ヲ知レル悪意ノ第三者ヲ保護スヘキ何等ノ根拠ナキコト明カナルカ故ニ、斯ル第三者ニ対シテハ会社ハ其ノ責ヲ負フコトナク、之ヲ換言セハ斯ル第三者ハ会社ノ代表者カ会社ノ代表者名義ヲ以テ為シタル法律行為ニ基キ会社ニ対シテ権利ヲ取得スルコトナキモノト解スヘキモノトス。依テ会社ノ代表者カ其ノ代表権限ヲ濫用シテ小切手ヲ振出シタル場合ニ於テモ、右代表権限濫用ノ事実ヲ知レル小切手ノ受取人ハ当該小切手ノ正当ナル所持人トシテ会社ノ資金ニヨリ小切手支払人ヨリ小切手金ノ支払ヲ受クヘキ権利ヲ有セサルモノト謂ハサルヘカラス。然レトモ小切手ノ支払人タル銀行ノ側ヨリ之ヲ観察スルトキハ、斯ル小切手ノ所持人カ小切手ヲ銀行ニ呈示シテ支払ヲ求メタル場合之レヲ正当ナル権利者ナリト信スヘキハ当然ナルカ故ニ、斯ル小切手ノ所持人ハ債権ノ準占有者ニ外ナラサルヘク、従ツテ支払人タル銀行カ善意ナル限リ該小切手ノ所持人ニ対シ為シタル小切手振出人タル会社ノ預金ノ支払ハ有効ニシテ、会社ノ預金ハ其ノ限度ニ於テ弁済ニヨリ消滅スヘキモノトス。」（東京控判昭一二・一〇・二九評論二七商法六五）（評釈、竹田・民商法雑誌七・三四〇）。

（六）　会社が取締役に対し又は取締役が会社に対して訴を提起する場合においては、その訴については、株主総会又は取締役会の定める者が会社を代表する（商二六一ノ二I II）。もとより代表取締役も当該訴訟の相手方でない限り、その訴につき会社代表者に選任せられうる（同旨、大隅・大森・前掲二七三頁）。昭和二五年の改正前においては、取締役との訴訟における会社代表は原則として監査役の職務事項とされていたが（旧商一八五I、前商二七七I）、現行法との間に制度としての本質的な変更はない（大隅・大森・前掲二七二）。この規定（商二六一ノ二、前商二七七I、旧商一八五I）は取締役から会社に対し提起された訴につき会社が控訴の取下をなす場合にも、当然その適用がみとめられる（同旨、大判昭七・三・一五裁判例六民七三頁、大判昭一〇・七・五【143】）。下級審の判決には右の規定（旧商一八五I）は「会社ガ取締役ニ対シ取締役タル資格ニ基ク会社ノ請求権ヲ主張スル場合ニ限リ」適用せられ、取締役が会社に対して個人として負担した手形債務の履行の請求のように「個人トシテノ取締役ヲ訴フル場合」にはその適用の限りでないと解するものもあるが（東京地判明三七・一・二三新聞一八九・二五）、大審院は、「其ノ取締役ニ対シテ提起スル訴ハ、其ノ取締役カ取締役タル資格ニ於テ相手方トナル場合ナルト将又個人トシテ訴ヲ受クル場合ナルトヲ問ハズ、又取締役ノ全員ヲ挙ゲテ被告ト為ス場合ナルト単ニ其ノ中ノ或者ノミヲ被告ト為ス場合ナルトヲ問ハサル趣旨ト解スベキガ故ニ、会社カ或取締役個人ニ対シ訴ヲ提起スルトキト雖」も、その適用があるものとみとめており（大判昭一〇・七・五【143】）、もちろんこれが正当な解釈である。同様に、取締役が会社に対して訴を提起する場合において、単に取締役たる資格をもつて会社法上の各種の訴を提起する場合に限らず、個人として会社に対し訴を提起する場合をも含むものと解しなければならない。なお、本条にいう取締役には仮処分により取締役又は代表取締役の職務代行者に選任された者も含まれるが（同旨、東京地判大一〇・一二・一六【97】）、訴訟の目的たる権利関係が取締役としての在職当時の事由にもとづくものであつても、現に取締役でない者に対して訴を提起する場合には、その適用がないと解すべきである（監査役の旧商一八七Ⅰに関する宮城控判大五・二・二九評論五商一五八参照）。最も問題となるのは、取締役の選任又は解任の決議に対して当該取締役がその無効又は取消の訴を提起する場合に上述の規定の適用があるか否かの点である。被選任者たる取締役が選任決議の定款違反を理由に提起した決議無効確認の訴について、本条（前商二七七Ⅰ）の適用をみとめた判決がある（東京地判昭二六・一・二五【144】）。形式上決議の成立とともに取締役の資格を取得しているというのがその根拠であるが、この点に関する判決の理由には納得しがたいものがあり（【144】参照）、右の場合には本条の適用がないと解すべきである。選任決議の取消の訴の場合は、もともと提訴権者が株主又は取締役に限られ、かつ取締役たる株主が決議取消の訴を提起するときは取締役たる資格でなすことを要するから（結論的に同旨、東京地判大一〇・一二・一六【97】）、本条の適用があると解することも理由がないではない（同旨、【97】）。しかし、決議取消の訴であると無効確認の訴であるとを問わず、自己の取締役たる地位を否定しようとする訴においては、たといその訴が取締役たる資格で提起されている場合にも、本条の適用はないものと解すべきであろう。なお、選任決議の無効確認を求める訴についてたとい本条の適用があり、これに違反している場合であつても、当該取締役につき解任の決議がなされたときは、会社代表に関するその違法は治癒せられ、訴は適法となると解せられる（大阪高判昭二七・四・一〇【145】）。また解任決議の取消の訴の場合には、取締役は解任決議の成立により一応その資格を喪失するから、株主資格を有しない取締役にはもはやこの訴を提起することができないかのようであるが（七五頁参照）、これを不合理とし、この場合には解任せられた者も商法第二四七条にいう取締役として訴提起の能力を有するとみとめる判決（大阪高判昭三二・一・三一【68】）も、その者を取締役として取扱うのは商法第二四七条関係に限られ、したがつて第二六一条の二の規定によつて代表者を定める必要はないと解している(【68】参照)。なお、会社が取締役に対し訴を提起する場合に民法第五七条により特別代理人を選任するのはもとより違法があるが(大判昭九・六・一五昭和八年(オ)第二四三二号、大判昭一四・六・六民集一八・六四〇新聞四四四四・一七、評釈、西原・民商法雑誌一〇・八五六、鈴木・法学協会雑誌五七・一九九三)、この選任の裁判も「之ニ因リテ権利ヲ害セラレタル者ノ抗告」(非訟二〇)に依り取消されない限り当然に無効とはならないから、右の代理人は会社を代表する権限があるものとされる(大判昭一二・二・二六全集四・五・四)。

【143】(本文における引用に続いて)「監査役ニ於テ会社ヲ代表スヘキハ勿論ニシテ、従テ其ノ訴ノ取下ノ如キモ亦同様監査役カ会社ヲ代表シテ之ヲ為スヘキハ固ヨリ当然ノコトナリトス。然ルニ本件ニ於テ原判決確定ノ事実ヲ観ルニ、上告会社カ山口地方裁判所下関支部ニ提起シタル代金引渡請求ノ訴訟ハ上告会社ノ取締役タル被上告人甲個人ヲ相手方トスルモノニシテ、昭和八年七月二十日訴ノ取下トナリシモ其ノ取下ハ当時上告会社ノ取締役タリシ被上告人乙カ甲ノ同意ヲ得テ之ヲ為セリト云フニ在ルコト判文上明白ニシテ、監査役ノ為スヘキ場合ニ取締役ノ為シタル右ノ取下ハ到底不適法タルヲ免レサル結果、該訴訟ハ依然トシテ前記裁判所ニ繋属スルモノト云フノ外ナク〈後略〉。」(大判昭一〇・七・五民集一四・一二八六新聞三九〇五・一五評論二四商法四八六)(評釈、斎藤・判例民事法昭和一〇年度三二七、長場・民商法雑誌三・一七四、大橋・法学論叢三三・一〇四二)。

【144】「いやしくも株主総会の決議があつた以上、仮令その決議が定款の規定に違反して無効を主張することが出来る場合であつても、その株主総会において取締役に選任せられたものは形式上決議とともに取締役の資格を取得したものと謂うことが出来る。そしてかかる取締役といえども会社に対して訴を提起する場合は原則としてその訴に付いては監査役が会社を代表すべきことは商法第二百七十七条〈現二六一条ノ二〉の規定するところである。今本件についてみると原告等の主張は被告会社の定款によると株主でなければ被

告会社の取締役監査役に選任せられないのにその定款に違反して何等株主でもない原告等を臨時株主総会において被告会社の取締役に選任する旨の決議をしたが右の決議は定款に違背する無効のものであるからその確認を求めるというのであつて、かゝる訴の提起は一応原告等は被告会社の取締役の資格においてなすべきものであり、事実その資格において訴を提起したものとみられるから前記商法の規定からみれば会社を代表すべきものとしては被告会社の監査役を表示しなければならない。然るに本訴状においては被告会社の法定代理人として被告会社の取締役甲が表示せられ被告会社の監査役の表示のないことは本件の記録上明白であつて又右甲が被告会社の監査役と認められる確証もない。そうだとすると原告の本訴はこの点において既に不適法である。」(東京地判昭二六・一・二五 下級民集二・一・七四)。

【145】「控訴人等は本訴は控訴人等が自分の取締役たる地位を否定し、その取締役選任決議の無効確認を求むるものであるから斯る場合には前記法条〈改正前商法二七七条〉の適用はなく通常の原則に従つて取締役が被控訴会社を代表すべきものであると主張するのであるが、此点に付ての判断は暫く措き代表権限の有無は弁論終結当時に於て之を論ずべきところ今仮に本訴に於ても右法条の適用があつて監査役をして被控訴会社を代表せしむべきものとするも〈中略〉控訴人等は何れも昭和二十五年九月三十日解任せられ、同年十月十七日（原判決前）その旨の登記もなされているのであるからこれが為め既に控訴人等から被控訴会社を相手とする訴に付ては取締役が被控訴会社を代表し得べき通常の状態に復したものであることは明かであつて、左すれば当初本訴提起に当つて監査役を被控訴会社の代表者として表示しなかつた違法は之によつて治癒せられ本訴は適法となつたものというべきである。然らば本訴提起に当つて被控訴会社の代表者として取締役甲が表示せられ、監査役の表示のないことを以て不適法として本訴を却下した原判決は他の点に付判断を加うるまでもなく失当たるを免れない。」(大阪高判昭二七・四・一〇 下級民集三・四・四九二)。

三　表見代表取締役

社長・副社長・専務取締役・常務取締役その他会社を代表する権限を有すると認むべき名称を附した取締役のなした行為については、会社はその者が代表権を有しない場合でも善意の第三者に対してその責に任ずる（商二六二、前商二六二）。会社を代表する権限を有すると認むべき名称とは、右の社長等のほか、頭取・総裁等のごときものをいうと一般に解されているが（田中・前掲会社法二六九）（大阪控判明三五・四・二五【98】も、頭取のごとき名称は社長と同じく会社の筆頭取締役を意味する慣用語であるとみとめている）、取締役に附与された支社長の名称も、当該支社の営業所としての規模・内容が通常の支店と称するものよりも上級の営業所と評価できること及び小切手等振出の権限の附与などの外観から見て、「尠くとも支社における営業の範囲内の事項に関する限り、商法第二六二条にいわゆる会社を代表する権限を有するものと認めるべき名称に該当する」と解する判決がある（広島高判昭三一・一一・九【146】）。しかし、これは明らかに商法第二六二条を商法第四二条と混同している。この場合にもともと会社の表見責任の問題を生ずるが、そのいわゆる取締役支社長なる名称は取締役が支社なる営業所の主任者の地位を兼ねている場合に附せられたものと解すべきであって、表見支配人に関する商法第四二条に従って会社の責任をみとめるべきであり（なお東京地判昭三二・三・八判時一一三・二八参照。そこでは、単に保険契約申込の勧誘・代理店契約申込の取次のみを業務内容とする保険会社の支社であって、手形振出の権限を附与されていない支社長は、商法四二条の支店営業の主任者に該当しないとされている。右のほか、岩本・法学論集七・五八九参照）、商法第二六二条の問題ではない。ほんらいこの規定は、社長・副社長・専務取締役等の名称を附した取締役は代表権を有する取締役であるのが通常であるか又は少くとも稀でないことにもとづいて、会社がかかる名称を取締役に附した場合に表見責任を負うべきことを定めたものであって、かかる立法趣旨からみるならば、右にいわゆる会社を代表する権限を有するものと認むべき名称を附した取締役は、社長・頭取・専務取締役など一般取引の通念上代表権を有するものとみとめられる者に限られるとともに(大判明四一・一〇・八【98 a】、大阪控判明三五・四・二五【98】参照)、その規定は会社がかかる名称を附与した場合に限り適用されるものと解しなければならない(同旨、福岡高判昭三一・五・一五【147】、東京地判昭二五・七・二九【148】。反対、大阪地判昭二五・六・六【149】)。そして右の者がかかる名称を用いてなした取引について本条の適用があることは、いうまでもない(反対、仙台高判昭三一・一〇・九下級民集七・一〇・九三は、代表権のない常務取締役が直接代表取締役名義でなした手形行為にも適用があるとする)。昭和一三年法により本条が新設される前の判例においては、常務取締役なる名称は法律上一定の意義を有せず、かならずしも代表権を伴なわないから、会社が常務取締役として公表した者に代表権ありと誤信した第三者は、商業登記簿の閲覧等によりその代表権の有無を調査しなかつたことにつき過失を免れえぬとした例も見られたが(東京地判昭九・一〇・二三【150】)(ただし、社長・頭取等については、右の改正前においても既に代表権の存在が当然にみとめられるとされていた。前掲【98 a】及び【98】参照)、商法第二六二条は第三者の善意がその過失にもとづくと否とはこれを問わないのである(同旨、名古屋高判昭三一・一一・一五、下級民集七・一一・一四八)(旨、松田・前掲二〇七)。なお取締役会長なる名称を附した取締役が商法第二六二条の表見代表取締役とみとめられるか否かについては議論が多く、取引の通念も明確でないが、取締役会長は単に会議体としての取締役会の議長たる地位にあるにすぎない取締役をいう場合(イギリス法におけるPresident (Presiceman) ないし Chairman of Meeting)と、取締役会における主席取締役(イギリス法における Chairman of Board)を意味する場合とが考えられる(山口・甲南論集四・二・九二、一一九参照)。前の場合にはその職務権限からみて代表取締役でないのが通常であろう。これに反して、後の場合には主席取締役たる社長と二者選一的な関係にある名称として使用せられているのであるから、代表取締役であるのを常とする。したがつて、社長が別に設けられている場合の会長は前者の意味に使用せられているとみられるから、表見代表取締役にはならないとの議論もなりたちうる(田中・前掲会社法二六九)。しかし、社長を別に設けているか否かは第三者には必ずしも直ちに識別しがたいのみならず、個々の会社の内部的職制の如何により取扱を区々にするのは適当ではなく、取引の安全保護の観点から、会長なる名称を附した取締役はすべて表見代表取締役に該当すると解しなければならない（大隅・園部・前掲二一〇、野津・前掲一〇九五参照）。

【146】「被控訴会社には、商法第二六二条による責任ありと主張する点について按ずるに、現在の被控訴会社米子支店と同一場所にかねてから米子支社と称する営業所を設けていたこと、被控訴会社の取締役たる甲が米子支社長なる名称を附与されていた事情とその支社長としての主な職務内容、被控訴会社と乙銀行米子東支店及び丙銀行米子支店との取引関係並びに米子支社長として、社長或いは米子支社長名義の小切手を振出すことに対する被控訴会社の内規による制限の状況については前叙認定のとおりであるが、昭和二四年頃、被控訴会社は米子支社営業所としてかなり広い敷地の上に事務所、待合所、車庫、車体工場等諸施設の外、約四〇台の乗合自動車を所有し、又、従業員数も一三〇名内外に達し、幾多方面の遠距離路線も開設し、その営業所としての規模、内容が、尠くともその外観上は、支店設立登記以後のそれと著しく異ったものでなかったことは、これ亦前顕各証拠によって容易にこれを窺うことができる。而かも、社長名義のものでも、或いは米子支社長名義のものでも甲が全く小切手振出の権限を有しなかったというのは事実に反し、唯、被控訴会社の内規によって著しく制限されていたとみるのがその実情に即することは前顕各証拠を通じ自ら明らかであるが、叙上認定の諸般の事実を念頭に置いて考察するとき、被控訴会社の取締役たる甲が附与されていた米子支社長なる名称は、＜中略―本文中に引用＞ものと断ずるに難くない。巷間においても、支社なる名称を附した営業所が支店と称するものよりも上級の営業所とされている機構となっている事例は、決して尠くないところであるが、本件において、被控訴会社の米子支社乃至米子支社長なる名称に関し叙上の如き評価をなしたとて、敢てこれを以て奇異なるものとなすに当らない。即ち、被控訴会社の米子支社が商法上登記された支店でなく、甲が米子支社長として被控訴会社を代表する権限を有せず、従って、甲が本件小切

手の割引という名目を以てする消費貸借契約を締結するが如きことは、被控訴会社の内規に照し、許すべからざる行為であつたことは正に被控訴代理人主張のとおりであるとしても、被控訴会社としては、商法第二六二条により、甲が米子支社長として、代理人の使者により締結した本件小切手の割引という名目を以てする消費貸借契約につき、原則として第三者に対しその責に任ずべきものであることは当然であるといわざるを得ない。」（広島高判昭三一・一二・九昭和二八年（ネ）第二号、ジュリスト一二一・九四）。

【147】「商法第二百六十二条の表見代表取締役の行為に関する規定は、株式会社が或る取締役に専務取締役等会社を代表する権限を有するものと認むべき名称を附することを許した場合においてのみ、その取締役のなした行為につき会社が善意の第三者に対してその責に任ずる趣旨であつて、会社を代表する権限のない取締役が勝手に専務取締役なる名称を使用した場合には、その適用はないというべきであるが、本件の如く、以前〈後略―本文中に引用〉。」（福岡高判昭三一・五・一五民集九・六・三七五判時八九・二五）。

【148】当事件は取締役が会社の許容なしに専務取締役の肩書を使用して振出した小切手に関する。すなわち、右取締役は会社が資金を得る便宜上取締役に就任せしめた者であつて、専ら金融面を担当していたが、それに関する一切の権限を与えられていたのではなく、単に会社の代表取締役の振出した約束手形を割引く権限を附与されていたのにすぎなかつた。判決は、結局、民法一一〇条を適用して会社に表見責任をみとめた。

「被告会社は本件小切手につき商法第二百六十二条による責任があるかどうかを判断するに同条は株式会社が任意に或る取締役に専務取締役等会社を代表する権限があると認められる名称を附したときにその取締役の行為に関する規定であつて或る取締役が勝手にそのような名称を使用して為した場合を含まないのである。ところで訴外甲は当時被告会社の取締役ではあつたが専務取締役ではなく本件小切手に専務取締役と記載したのは前示の如く同人が僭称したにすぎず又被告会社が右僭称の事実を知りながらこれを黙認していたとも認め難いから商法第二百六十二条の適用はなく従つて被告会社は本件小切手につき同条による責任はない。」(東京地判昭二五・七・二九下級民集一・七・一一六三)(なお東京控判昭二七・三・三一判タ二四・五五参照)。

【149】　当事件にあつては、被告会社の社員から会社の運転資金の融通を依頼された者が、右社員の言を信じて被告会社の取締役を常務取締役兼工場長で会社業務の実権を握つている者として原告に紹介したところ、原告もまたこれを信じて右取締役等の申出に応じ、会社所有の機械類を担保として融資をなしたというのが事実である。判決は、商法二六二条は必ずしも会社が取締役に代表権ありと認められるような名称を附することを許した場合にかぎり適用されるものではないとして、同条による会社の責任をみとめた。

「原告は商法第二百六十二条にいわゆる善意の第三者に当り、被告会社は被告の取締役である甲のした行為に対し責に任じなければならない。〈中略〉同規定は会社の代表権限を有しない取締役が会社を代表する権限を有するものと認むべき名称を附してなした行為につき善意の第三者に対し会社が責に任ずべきことを規定したものと解すべきである。」(大阪地判昭二五・六・六下級民集一・六・八六九)。

【150】　「原告ハ被告会社ハ甲ヲ常務取締役トシテ公表シタルヲ以テ同人ニ代表権アリト誤信シタル旨主張スレトモ、取締役ニ冠スル常務ナル名称ハ法律上一定ノ意義ヲ有スルモノニアラス且各株式会社ニ於テ各ソノ欲スル意義ニ於テ之ヲ使用シ得ルモノナルカ故ニ、甲カ常務取締役トシテ公表セラレタリトスルモ商業登記簿ヲ閲覧スル等ニヨリテ代表権ノ有無ヲ調査セサリシコトニツイテハ過失ノ責ヲ免ルルヲ得サルモノトス。〈中略〉商法第百七十条第二項第六十二条〈現二六一条三項七八条〉民法第四十四条ニヨリ株式会社カ損害賠償ノ責ニ任スルハ取締役カソノ職務ヲ行フニツキ他人ニ損害ヲ加ヘタル場合ナラサルヘカラス。然ルニ甲ハ被告会社ヲ代表シテ金員ノ借入レソノ他法律行為ヲナスヘキ権限ハ全ク之ヲ有セス而モコノ事ハ登記公告ニヨリテ第三者ニ対抗シ得ヘキモノナリシコト前敍ノ如クナルトコロ、原告ノ主張ニヨレハ甲ハ被告会社ノ代表権アリト詐称シ原告ヨリ貸金名義ニヨリ金二万円ヲ騙取シ以テ之ト同額ノ損害ヲ加ヘタリト云フ

ニ在ルモ、カクノ如キ代表行為ノ外形ヲ以テナサレタル行為ハ全ク代表権ヲ有セサル取締役ノ職務ニ関スルモノニアラサルカ故ニ、右損害ハ甲カソノ職務ヲ行フニツキ原告ニ加ヘタルモノト云フコトヲ得ス。尚民法第七百十五条ノ適用アル為ニハ事業ノ執行ニツキ使用者ハ被用者ニ対シ必要ナル命令ヲ下シ得ヘク被用者ハ此命令ニ従フヘキ関係ノ存スルコトヲ要ス。然ルニ株式会社ノ取締役ハ仮令代表権限ヲ有セサル場合ニ於テモ内部的ニ於テハ会社ノ業務執行機関トシテ全ク其ノ自由裁量ニヨリテ会社ノ業務ヲ執行スヘク之ニツキテハ他ノ機関ノ命令ニ服スルモノニ非ス。換言スレハ会社ノ業務執行ニツイテハ使用者ノ立場ニ於テ取締役ニ対シ命令ヲ為スヘキモノ存セサルヲ以テ、取締役カ業務ノ執行ニツキ他人ニ損害ヲ加フルコトアルモ民法第七百十五条ヲ適用スヘキ余地ナシト謂ハサルヘカラス。」（東京地判昭九・一〇・二三新聞三七七五・一〇評論二三民法一二五〇）。

上述のように第二六二条の規定は、会社が社長・副社長・専務取締役等の名称を附与した場合に関し、代表権のない取締役が勝手にかかる名称を僭称した場合には適用せられないが、しかし会社がかかる僭称の事実を知りながら何らの措置をも構じなかった場合には、会社がその名称の使用を黙認したものとして、本条の適用があると解すべきである（同旨、名古屋高判昭三一・一一・一五下級民集七・一一・一四八（前出一五七頁）、ここでは、代表取締役の委任により代理権を授与されていた取締役が副社長と自称し、他の取締役一同がこれを黙認していた。同旨、東京地判昭二五・七・二九【148】、東京地判昭三三・一・三一判タ七七・七一）（同旨、大隅・園部・前掲一七七、松田・前掲二〇七）。また、共同代表取締役の一人に社長のごとき単独で会社を代表する権限を有するものと認むべき名称を附した場合にも、その者が単独でなした行為につき会社はやはり本条により責任を負うべきものと解しなければならない（同旨、東京地判昭和二九年（ワ）第六一七三号経済法律時報九・二二）。なお、以前たとえば「専務取締役であった者が単なる取締役になった後、なお専務取締役の職にあるものと認められる状況の下において、専務取締役の名称を用いてなした行為については、その相手方が善意である限り、民法第百十二条の表見代理の類推適用により

（取締役は会社の機関であつてその代理人ではないけれども機関の代表行為についても代理に関する民法の規定を類推適用すべきものと解する）、会社はなお商法第二百六十二条の規定に基き、その取締役のなした行為につき責を負うべきもの」と解せられる（福岡高判昭三一・五・一五【147】）。本件において専務取締役の辞任後なおその職にあるものと認められる状況としては、問題の取引の直前まで専務取締役の職にあつたのみならず、その職を辞した後も、事実上同会社の業務を担当しており、殊に当人が専務の職を辞したことは社内の者すら殆んどこれを知らず、依然同人を「専務」と呼称していた等の事情がみとめられている（なお、専務取締役であると誤信するにつき過失の有無を判断した東京地判昭二五・四・一一下級民集一・四・五四二参照）。この場合は民法第一一二条を準用して、会社は善意かつ無過失の第三者に対してその責に任ずると解する見解もある（松田・前掲二〇七）。

以上述べた場合においていわゆる第三者とは、表見代表取締役と直接に取引をなした相手方のみならず、かかる取締役が会社の名義で振出・裏書・引受・保証などをした手形の第三取得者をも包含する（東京地判昭二九・七・二八【151】）。適法に取締役に選任されていないのにかかわらず、会社において事実上代表権のある取締役であるかのような名称を使用させて取引に当らしめている者の行為についても、商法第二六二条の規定を類推適用すべきである。すなわち、会社が取締役としての登記もない一商業使用人をして常務取締役なる肩書のついた名刺を使用せしめたような場合には、「同規定は法一般に通ずる取引の安全の保護と禁反言の原則の一顕現にすぎないと考うべきもので、右のような場合にも類推適用されるもの」と解せられるのである（東京地判昭二七・二・四【152】）（反対、田中・前掲会社法二六九）。なお近時は、合名会社の表見代表社員の行為に対しても、右の規定の類推適用をみとめる判決が見られる（東京地判昭三一・一一・六【153】）。

【151】「被告の商法第二六二条による責任について判断する。本件手形振出当時右甲が被告の常務取締役

であつたことは被告の認めるところであり、そして右法条にいう第三者とは一般私法上の行為については表見代表取締役の相手方として行為した者をいうであろうが、手形関係においてはその流通証券たる性質から表見代表取締役によつて代表せられる会社に対しこの取締役の代表権限を信じて権利者の地位に立ち得る者をすべて包含すると解すべきであるから、本件においても原告において右甲の代表権の欠缺につき善意であつたならば被告は振出人としての責任を免れ得ないことになる。」（東京地判昭二九・七・二八 下級民集五・七・一二八一）。

【152】「債権者の商法第二百六十二条に基く主張について考えて見る。同条においては代表権を有すると認むべき名称を附した取締役の行為について会社の責任を規定したものと解すべきところ、訴外甲が債務者会社の取締役として登記されてないことは＜中略＞明かであつて、他に甲が債務者会社の取締役であることの疎明はないのであるから、商法第二百六十二条は本件取引につき直接その適用ありと見ることは困難である。然し、＜中略＞債務者会社は甲に対し常務取締役の名称を使用して債務者会社の紙類の仕入れ販買をすることを認めていたことを窺うことができるのであつて、＜中略＞他に右の判断を覆えすに足る疎明はない。そこでかように適法に取締役に選任されていないのに、会社において事実上代表権のある取締役であるかの如き名称を使用させて取引にあたらしめている者の行為につき、前記規定を類推適用すべきかどうかが問題となるが、＜中略―本文中に引用＞と解するのが相当である（もつとも本件において債権者が予備的に主張している如く民法の表見代理の主張もできる関係にあるが、代表権に関するいわば表見代表権に対する信頼の保護を求める本件の債権者の主張については商法第二百六十二条の規定の類推適用を認め得べきものと考えられる）。」（東京地判昭二七・二・四 下級民集三・二・一四三）。

【153】「被告甲は昭和二十九年五月十四日当時被告会社の社員ではあつたが代表社員ではなかつたところ、自ら被告会社の代表社員と称して、原告に対し本件債権譲渡を異議を止めず承諾したものであり、原告は、被告甲が被告会社を代表する権限のないことを知らなかつたものであるから商法第二百六十二条の類推適用

により、被告会社は被告甲による本件債権の前異議を止めざる承諾の責に任じなければならない。何故なら商法第二百六十二条の規定は同法第三十八条第三項の規定と同じく商取引上における動的安全に対する強度の保護の必要から現実に会社が代表権限を有するが如き名称を称せしめ又は取締役がこれを使用するのを黙認するという様な事情にある取締役を相手として取引したときはその取締役に代表権限がなくても会社は善意の相手方に対してはその行為の責を負うべきものと規定したものであつて、この点に関しては株式会社たると合名会社たると何等扱いを異にすべきいわれはないからである。」（東京地判昭三一・一一・六判時一〇二・三四）。

四　代表取締役以外の取締役

（一）　会社を代表すべき取締役（代表取締役）以外の取締役でも、取締役会から権限の委譲を受けて会社の業務を執行することができる（業務執行取締役）。実際上も専務取締役・常務取締役など会社の業務を執行する取締役であつて、しかも代表取締役でない事例が少くないが、これらの取締役は通常右にいわゆる業務執行取締役にほかならない。かかる業務執行取締役は定款をもつてこれを置く旨が定められ、且つその選任が取締役会に委ねられているのが普通である（なお一〇七頁参照）。なお、代表取締役ないし業務執行取締役が業務を執行するに当つては、会社の使用人を代理人ないし補助者として使用することができ（同旨、大判明四二・一〇・三〇【118】、大判大七・五・四【154】）、単に特定の事項又は特定の種類の事項（前掲【118】）のみならず、営業に関する広汎な行為をもこれに委ねても差支えない（【154】。ただし、支配人の選任には取締役会の決議を経るを要する、商二六〇後段）（なお、代表取締役が選任した会社の代理人は、当該代表取締役がその資格を失つても当然にはその代理権を失わない、東京地判大一五・四・二評論一五商法五〇一。ただし会社の解散により当然にその代理権を喪失する、東京控判大二・一二・一六新聞九一九・二四）。そして取締役がかかる会社の使用人たる地位を兼ねることも差支えない（同旨、取締役支配人・東京控決明三八・五・二四【155】、使用人取締役・東京控判昭一〇・七・八【156】）（尤も東京地判明三八・三・二七新聞二七一・一六は取締役が支配人を兼任するのは不必要で許されないとするが、常にそうとはいえない）。取締役が支配人・部課長などを兼ねている事例は実際上常に見るところであるが、これらの取締役は同時に商業使用人たる地位を兼ねているのにほかならない。このようにして代表取締役以外の取締役は、定款の規定にもとづき取締役会から業務執行の権限の委譲を受けている業務執行取締役、商業使用人を兼ねその地位において会社の業務に従事する取締役、取締役会の一構成員たるにすぎなく直接には会社の業務に関与しない取締役の三者に区別することができる。

【154】「民法第五十五条ノ規定ハ株式会社ニ準用ナキコト商法第六十二条第二項〈現七八条二項〉及ヒ同第百七十条第二項〈現二六一条三項〉ノ法意ニ徴シ明白ニシテ、又株式会社ノ取締役ハ他人ニ同会社ノ事務一切ヲ経営処理セシムルノ代理権ヲ援与スルコトヲ得サル旨ノ法則ナシ。故ニ原裁判所カ『控訴会社（上告会社）ノ取締役甲、乙等協議ノ上同年三月一日以後ハ丙ヲシテ同社業務一切ヲ経営処理セシムルコトト定メ即チ同人ニ広汎ナル代理権限ヲ附与セシ事実ヲ認定スルニ足ル』ト判示シ、上告人敗訴ノ判決ヲ言渡シタルハ、洵ニ正当ニシテ所論ノ違法ナシ。」（大判大七・五・四評論七商三四九民抄録七八・一八〇三九）（評釈、松本・法学協会雑誌三六・一八九二）。

【155】「取締役ノ或者ヲ支配人ニ選任スルハ商法第六十九条ニ依リ取締役団体ノ過半数ヲ以テ為シ支配人ノ監督ハ取締役団体ニ於テ之ヲ為スモノニシテ其取締役カ自ラ監督スルモノニ非ス。其他、取締役ト支配人トノ性質ニ於テ相牴触スル廉ナク、又其兼任ヲ許スモ公ノ秩序ニ害アリト認ムルコト能ハス。而シテ監査役ト取締役トノ如ク性質相反スルコト明白ナルモノニ付特ニ商法第百八十四条〈現二七六条〉ノ明文ヲ置キタルニ徴スレハ、取締役ヲ支配人ニ選任スルコトハ法律ノ禁止スル所ニ非スト解スルヲ相当トス。」（東京控決明三八・五・二四新聞二八四・一六）。

【156】「会社ノ取締役タルモノハ常ニ会社ノ使用人タルコトヲ得サルノ理ナク、会社トノ間ニ民法第七百十五条ニ所謂使用者被用者ノ関係アリヤ否ヤヲ判断スルニハ須ク当人ノ会社内ニ於ケル業務ノ内容当人ト会

社トノ関係ノ実質ニ付テ審究スルヲ要シ、当人カ会社ノ取締役ニ選任セラレ且ツ其ノ登記アリタルコトカ認メラレタリトテ直チニ同人ハ会社ノ使用人ニ非ラスト為シ難ク、本件ニ於テ乙ト被控訴会社トノ関係カ実質上如何ナルモノカ前段ニ於テ認定シタル如クナレハ、乙カ取締役タルコトハ乙・会社間ニ被用者使用者ノ関係アルモノト認定スルノ妨ケトナラス。」（東京控判昭一〇・七・八評論二四商法四二三）。

代表取締役でない業務執行取締役は会社代表の権限を有しないが、これらの取締役には社長・副社長・専務取締役・常務取締役その他会社を代表する権限を有するものと認むべき名称が附されているのが普通であって、かかる名称を有する取締役が対外的な行為をなした場合には、会社は善意の第三者に対して責に任じなければならないことは、既述の通りである（商二六二、前商二六二）。のみならず、これらの取締役も代表取締役の授権にもとづいて対外的に会社のために行為をなすことができ、その場合に会社がその行為につき責に任ずべきことはいうまでもない（同旨、東京地判昭二八・一二・一五【157】）。昭和一五年の大審院判例も、代表取締役から会計事務をはじめ会社業務の一切を委任せられ、単に会社内部における事務処理のみならず、外部に対する行為についてもその委任を受けて処理してきた取締役がなした手形裏書の効力に関し、「株式会社ノ取締役トシテ会社代表ノ権限ナキモ、代表取締役ヨリノ委任ニ基キ会社ヲ代表シテ手形行為ヲ為スノ権アル取締役カ、会社取締役ノ肩書ヲ以テ為シタル手形裏書ハ有効ナルモノ」とみとめている（大判昭一五・二・一六【158】、大審院民事判例集掲記の判決要旨。なお大判大一〇・一〇・六【120】参照）。同様に、下級裁判所の判決も、代表権のない取締役が代表取締役の授権にもとづきその代理人として手形行為をなすことには何らの違法もないとみとめ（東京地判大一五・六・二五【159】）、代表取締役から特定の契約の締結に関する一切の処置を一任せられた取締役の行為は、会社に対して効力を生ずると解している（東京控判大一三・四・三〇【160】）。右の場合、判決はいずれも単なる取締役たる資格において法律行為をなす権限をみとめたのではなく、代表取締役からの授権にもとづいて会社を代理する権限をみとめているのである（註）（【158】【159】【160】【157】【120】）（ただし、東京地判大一四・一・三〇新報三五・二三は、この点に関して明確を欠き、「会社ヨリ別ニ同会社ノ為ニ本件手形行為ヲ為スヘキ権限ヲ付与セラレ居タ」代表取締役でない取締役に関し、会社はかかる授権行為により当該取締役のなした手形引受に対し手形上の責任を免れえぬとした）。

【157】　当判決は代表権限のない単なる取締役の記名捺印ある手形裏書の効力に関している。「訴外会社の代表取締役は甲であつて、乙は代表権限のない取締役であることが認められるけれども、＜中略＞右訴外会社に於ては乙は所謂専務取締役として経理を担当し且つ右訴外会社の銀行取引は同人の名義で為されていた関係で、代表取締役の承認の下に同人が訴外会社のため手形の振出、裏書等の行為を為していた事実が認められる。従つて右訴外会社の代表取締役甲は取締役乙が訴外会社のため手形行為を為すことを授権していたものと謂うべく、斯様に代表取締役の授権のあるときは代表権のない取締役の手形裏書でも会社の裏書として有効であると解すべきである。而して代表取締役から授権された取締役が手形行為を為すに当り、取締役の資格のみを表示したとしても、会社の代理関係の表示として適法であると言わねばならない。」（東京地判昭二八・一二・一五下級民集四・一二・一八七八）。

【158】　「原審ハ、甲ハ会社代表取締役ヨリ委任セラレテ単ニ会社内部ノ事務ノミナラス外部ニ対スル行為ニ付キテモ会社一切ノ事務ヲ処理シ居タル事実ヲ確定シ、依テ同人ハ会社ヲ代表シテ本件手形ノ裏書ヲ為スノ権限ヲ有シタル旨判示シタルモノニシテ、所論ノ如ク同人カ会社内部ノ事務ノミヲ処理シ居タリト為シタルニアラス。又同人カ取締役タル資格ニ基キ本件裏書ヲ為スノ権限アリト為シタルニアラス＜中略＞。原判決ハ、本件裏書ハ甲カ乙株式会社代表取締役丙ノ委任ニ基キ同会社ノ代理人トシテ之ヲ為シタルモノナル旨判示シタリ。而シテ＜後略―註文中ニ引用―＞。」（大判昭一五・二・一六民集一九・一九〇）（評釈、竹田・民商法雑誌一二・一三一、小町谷・判例民事法昭和一五年度四四）。

【159】「裏書行為ヲ為シタル甲ハ右訴外商店ノ取締役トシテ即チ直接同商店ヲ代表シテ裏書行為ヲ為シタルモノニアラスシテ、同商店ノ代表権ヲ有スル取締役乙ノ授権ニ基キ該代表権者ノ代理人トシテ右裏書行為ヲ為シタルモノナルコトハ右甲一号証ノ一ノ裏書ノ記載自体ニヨリ明カニシテ、甲カ同商店ノ代表権ヲ有シタルト否トニ拘ラス其代表権者ノ代理人トシテ手形行為ヲ為スハ何等違法ニアラス。」(東京地判大一五・六・二 五評論一六商法一九〇)。

【160】「訴外甲カ控訴会社ノ常務取締役ナルコト同人カ大正九年七月二日被控訴人トノ間ニ本件甲第一号証ノ契約ヲ締結シタルコト控訴会社ノ当時ノ代表取締役ハ乙ニシテ其登記ノ存スルコトハ何レモ当事者間ニ争ナキ事実ナリ。従テ右甲カ控訴会社ヨリ特ニ本件契約締結ニ付代理権ヲ授与セラレタルニ非サレハ右契約上ノ効果ハ控訴会社ニ対シテ発生スルニ由ナシ。従テ此点ニ付審究スルニ、〈中略〉ヲ綜合スレハ、控訴会社代表取締役乙ハ本件契約締結ニ関シ一切ノ処置ヲ右甲ニ一任シタルコト明カナルヲ以テ、右甲ハ控訴会社ヲ代表シテ本件契約締結スルノ権限ヲ有シタルモノト認定スルヲ相当トス。〈中略〉然ラハ本件契約ハ控訴会社ノ代理人タル前記甲ト被控訴人トノ間ニ締結セラレタル者ニシテ、甲第一号証ニヨレハ右甲ハ控訴会社取締役タルコトヲ表示シアリテ、右表示ハ仮令会社カ他ニ代表取締役ヲ定メタルトキト雖モ尚会社ノ為メニスルコトノ表示タリ得ヘキモノト解スヘキカ故ニ、本件契約ノ効力ハ其本人タル控訴会社ニ対シ発生スルモノトス。」(東京控判大一三・四・三 〇新聞二二六七・二一)。

(註)　前記の大審院判例(【158】事件)におけるように、単に会社の取締役たる肩書のみを表示して手形行為をなした場合には、それが会社のためにする旨の表示とみとめられるか否かが問題となるが(大判大一〇・一〇・六【120】では「丙株式会社専務取締役甲」なる手形署名がなされて居り、現行法では商法二六二条により処理されうる(東京地判昭二九・七・二八【151】参照))、これに関し判決は、「代理人カ手形行為ヲ為スニハ手形面ニ代理関係ヲ表示スルヲ要スルコト所論ノ如シト雖モ、其ノ記載ノ方式ニ付キテハ特ニ之ヲ規定シタルモノナキヲ以テ、手形面ニ本人ノ為メニ手形行為ヲ為スコトヲ認識シ得ル程度ノ記載アルヲ以テ足ルハ夙ニ当院ノ判例(大正七年(オ)第千二十七号事件 大正八年四月二十一日言渡判決)トスルトコロニシテ、本件ニ於ケルカ如ク乙株式会社取締役甲ナル記載ハ固ヨ

リ会社ノ為メニ手形行為ヲ為スモノナルコトヲ認識セシムルノ方式トシテ十分ナリト謂フヘク、偶々甲ハ原審ノ確定スルトコロニ依レハ会社ノ取締役トシテ当然ニ会社代表ノ権限ヲ有スルコトナク代表取締役ヨリノ委任ニ基キ会社ヲ代理シテ手形裏書ヲ為スノ権限ヲ有シタルニ過キサリシト雖モ、特ニ其ノ代理権限ノ由来シタル原因関係ハ之ヲ手形面ニ記載スルノ必要ナキモノナルカ故ニ、同人ニ代理ヲ委任シタル代表取締役ノ氏名ヲ手形面ニ記載セサレハトテ所論ノ如キ違法アリト為スヘキニアラサルハ勿論、甲カ取締役トシテ会社代表ノ権限ヲ有セサルコトハ前示手形面ニ於ケル代理関係ノ表示ヲシテ違法ナラシムルモノニアラス（当院大正十年(オ)第六五六号事件同年十月六日言渡判決参照）。」（大判昭一五・二・一六民集一九・一九〇【158】事件）とみとめている（なお前掲【120】参照）。

会社の業務に従事している代表権限のない取締役が対外的行為をなした場合において、下級審の判決は、かかる取締役は商業使用人の地位を兼ねているものとなしている。例えば、会社代表者印の保管・使用を委ねられ、事実上会社の業務を執行していた代表権限のない取締役が、手形の振出について代表者たる社長との協議を要する旨の定めに違反し勝手に振出した約束手形に関し、右の取締役は「代表権のない取締役なるも事実上会社の業務に従事しているものであるから商業使用人を兼ねているものと言うべく、その地位は前記認定事実より考察すると商法第四十三条に所謂番頭に該当するものと言うべき」であり、手形振出に関し社長との協議を要するとする制限は、商法第四三条第二項・第三八条第三項により善意の第三者に対抗しえないとして、会社に手形上の責任をみとめ（名古屋高判昭二九・一一・一二【161】）、同様に、会社の経理を担当し資金計画・金銭の出納・手形小切手等の事項を管掌している代表権のない常務取締役が、手形の振出については代表取締役の許可を得てなすこととされていたのにかかわらず、その許可を得ないで代表者名義の手形を振出した事例についても、右と同一の結論をみとめているのである（東京地判昭三〇・六・九【162】）（なお、代表権のない専務取締役が代表取締役たる社長印を保管し、社長よりかねて社長の会社代表名義をもつて手形その他の文書を作成するはもとより、社務一切を行うことを許容せられていた場合において、会社は、右専務取締役が代表者たる社長振出名義でなした手形行為につき責を免れえないとみとめられている、大阪控判大六・四・一八評論六商法二九〇）。これらの判決は、当該代表権限のない取締役は「事実上会社の業務に従事している者であるから」、会社の商業使用人を兼ねているものといいうると解しているのであるが、しかし単に事実上会社の業務に従事しているというのみで商業使用人たる地位を兼ねているとすることはできない。既述の通り、代表取締役でない取締役も取締役会から業務執行の権限を与えられて、業務執行取締役として会社の業務を執行することができるからである。尤もかかる業務執行取締役といえども同時に商業使用人たる地位を兼ねることは妨げなく、殊にその取締役が個々の行為についてではなくして、或る種類又は特定の事項に関してひろい範囲において会社のために対外的行為をなす権限を与えられている場合には、すくなくともその限りにおいて商業使用人たる地位を兼ねているものと解するのが、かかる権限を与えた会社の立場からみても、またその取締役を通じて会社と取引関係に立つ第三者の保護の見地からみても適当であるといえる。その意味において上述の判決の見解は理解することができるであろう（なお大隅・大森・前掲二七一、田中・前掲会社法二七三、西原・前掲二〇八参照）。なお、取締役が一定の地域における会社製品の販売・原料資材の購入を主たる業務とする出張所の所長として、当該出張所の営業について会社を代理する包括的代理権及び原料資材の購入のためにみずから会社を代理して手形を振出す権限を授与せられている場合においては、かかる取締役が商法第四三条の番頭・手代その他営業に関する或る種類又は特定の事項の委任を受けた商業使用人の地位を兼ねているものとみとめられることはいうまでもない（東京地判昭三二・二・二七【163】）。

【161】「訴外甲は控訴会社の代表権限のない取締役であるが、事実上控訴会社の業務を主として執行し、手形振出については控訴会社取締役社長乙の記名印及びその印鑑を常時保管していて、之を使用して控訴会社のために手形を振出す権限を持っていた〈中略〉。而して控訴会社代表者本人尋問の結果によれば、甲が控訴会社代表者名義の手形を振出すについては代表者乙と協議をした上なすことを要する定めとなっていたところ、前記約束手形振出に際し、甲は右乙と協議をしなかつたことが認められるが、甲は前記認定の通り代表権のない取締役なるも事実上会社の業務に従事しているものであるから商業使用人を兼ねているものと言うべく、その地位は前記認定事実より考察すると商法第四十三条に所謂番頭に該当するものと言うべきである。従つて甲の手形振出の代理権に対し代表者と協議をなすべきことを要すとした制限は同法第四十三条第二項、第三十八条第三項により之を以て善意の第三者に対抗することができないものと言うべきところ、被控訴人は右手形の交付を受けた当時甲の代理権に右の様な制限があつたこと、甲が右制限に反して手形を振出したものであることを知つていたことを認めるに足る証拠はないから控訴会社は甲の右行為に付きその責に任じなければならない。」(名古屋高判昭二九・一一・一一下級民集五・一一・三)。

【162】「本件手形には被告会社を代表するものとして、ないしは代理人として甲〈常務取締役〉の名義が表示されておらず、代表者乙の記名捺印をその承諾なしに行つて振出した場合であるから、商法第二百六十二条の適用があるとする原告の見解は採用しえない。しかし右認定事実によれば甲は被告会社の取締役であるが事実上前認定のような経理業務を担当していたのであるから被告会社の商業使用人をも兼ねていたものということができ、その地位は商法第四十三条にいわゆる番頭に該当するものと言うべきである。しこうして、甲が被告会社の手形振出について乙の許可を要するという前認定の制限は同法第四十三条第二項、第三十八条第三項によりこれを以て善意の第三者に対抗しえないものであるところ、原告が本件手形の交付をうけた当時甲の権限につき右のような制限のあつたこと及び甲が右制限に違反して手形を振出したのであるこ

とを原告が知つていたものと認めるに足る証拠はないから、被告は甲のなした本件手形の振出につきその責に任じなければならない。」(東京地判昭三〇・六・九判時五九・二五)(解説、伊達・商事法務研究五・一二)。

【163】「訴外甲は、昭和二十一年被告会社の取締役となり、ついで昭和二十三年七月被告会社東京主張所勤務を命ぜられ同出張所長訴外乙の下にあつて同出張所の営業に従事していたが昭和二十六年三月訴外乙が他に転出した後を受けて被告会社出張所長に任命され、東京方面における被告会社の製品の販売及び原料、資材の購入等を主たる業務とする前記出張所の営業について被告会社を代理することのできる包括的代理権を被告会社から授与されていた事実並びに前記原料、資材の購入のためには訴外甲自ら被告会社を代理して手形を振出す権限をとくに被告会社から授与されていた事実を認定することができ、〈中略〉。そして右の認定事実による訴外甲の被告会社における地位、権限は、商法第四十三条にいわゆる番頭、手代その他営業に関する特定の事項の委任を受けた使用人にあたるものと解され、したがつて、同訴外人は、前記認定のごとき特別の授権をまたずとも、被告会社の東京主張所の営業に附随して被告会社のため手形を振出す権限をも当然に有したものと解すべきである。」(東京地判昭三二・二・二七判時一一〇・二五)。

(二)　代表取締役がその職務を行うにつき不法行為をなした場合に民法第四四条第一項が準用せられることはいうまでもないが(商二六一Ⅲ・七八Ⅱ・民四四Ⅰ、前商二六一Ⅱ・七八Ⅱ・民四四Ⅰ、旧商一七〇Ⅱ・六二Ⅱ・民四四Ⅰ)この規定は本来代表関係とは無関係に適用されるべきであるから(この点につき民法四四条一項は代表行為に限り適用があることを立論の前提とする判決がある、東京地判昭七・五・一八【164】。なお【165】参照)代表取締役以外の業務執行取締役がその職務の遂行上不法行為をなした場合の責任も、右の規定によるべきものといわなければならない(ただし、代表権のない業務執行取締役が対外関係事項につき代表取締役の授権にもとづいて行為した場合に関しては、民法七一五条の規定によると解すべきである(註))(なお「職務を行うにつき」の解釈に関し、大判大七・三・二七【166】、大判大一一・五・一一【167】、東京地判大三・一〇・六【68】参照)。この規定により会社が責任を負う場合に、当該不法行為をなした取締役自身も責任を免れえないこと(大判明三九・一〇・三民抄録三〇・六三五四、大判昭七・五・二七【169】)、その場合に会社と当該取締役とはいわゆる不真正連帯の関係にあり、各自全額負担の責任があること(【169】)、取締役の加害行為と損害との間に因果関係の存在を要すること(東京地判大八・三・三評論八民法三一六では、選任・監督の不注意のため会社の雇人による会社株券の偽造を防止しえなかつた取締役の職務懈怠と、第三者が右偽造株券を担保として手形の割引・貸金利息の支払等をなして被つた損害との間には因果関係がないとされた)、会社に対する損害賠償請求権は被害者が損害の発生及び会社の取締役が加害者なることを知つたときから三年の時効により消滅すること(大判大五・五・五民抄録六六・一四五二一)などは、いずれも判例の明示するところであるが、取締役会の決議又はそれにもとづく業務規則をもつて数人の業務執行取締役の間に業務分担の定めがなされている場合には、その分担せる業務の執行につき加害行為をなしたときにだけ会社の責任を生ずるものと解すべきであろう(旧法上の判例のうちには「取締役カ所属会社ノ株券ヲ調製発行スルコトハ素ヨリ該事務ノ一般的性質トシテ取締役当然ノ職務執行ニ属スル」とみとめたものもあるが(東京地判大三・一〇・六【168】)、株券の発行事務は平取締役の職務には属しない)。右と異なり、商業使用人を兼ねその地位において会社の業務に従事する取締役がその職務の執行につき不法行為をなした場合の責任関係は、民法第七一五条の規定によるものと解しなければならない(同旨、東京地判昭三二・一一・八【170】。反対、東京地判昭九・一〇・二三【150】は、この点の認識を欠く。ただし、同様旧法時代の東京控判昭一〇・七・八【156】は、取締役たる者に民法七一五条にいう使用者・被用者の関係の存在しうることをみとめている)(これらの者の行為については会社は使用者としての責任を負うにとどまるから、その選任・監督に過失のないことを立証すれば責任を免れうる、大判大九・六・二四民録二六・一〇八三)。そして右の規定により会社が責任を負う場合には、使用人を選任・監督すべき地位にある代表取締役も、会社に代つて選任・監督すべき者(民七一五Ⅱ参照)として責任を負うと解しなければならない(同旨、我妻・有泉・債権法五七五)。これをみとめている判例もある(大判昭三・七・九【171】、東京地判昭三二・一一・八【170】)。

【164】　「会社自身カ取締役ノ職務執行行為ニヨリ他人ニ加ヘタル損害ヲ賠償スル場合ハ、其ノ行為ノ適法ナルト違法ナルトハ暫ク措キ、行為ノ性質上常ニ必ス其ノ取締役カ会社ノ代表者トシテ為シタリト看ルヘキ客観性アルコトヲ要スルモノニシテ、会社ノ代表行為ト何等関係ナキ取締役ノ行為ニ付テハ、縦令之ニ因リ他

人ニ損害ヲ加フルコトアリトスルモ、会社ハ之ニ対シ其ノ損害ヲ賠償スヘキ義務ナキモノト謂ハサルヘカラス。本件ニ付テ之ヲ觀ルニ前記ノ如ク被告会社ノ取締役タル甲カ擅ニ他ノ取締役名義ヲ以テ本件為替手形ノ振出引受ヲ為シ尚擅ニ同会社監査役名義ヲ以テ監査役ノ承認書ヲ作成シタリト謂フニ在ルヲ以テ、甲ハ当時被告会社ノ取締役タリトスルモ右行為ハ他ノ取締役又ハ監査役カ会社ヲ代表シ又ハ其ノ機関トシテ為シタル外觀ヲ有スルニ過キスシテ、客觀的ニ甲カ被告会社ヲ代表シテ為シタル行為ト見ルヘカラサルコト明白ナレハ、縱令甲ノ右行為ニ因リ株式会社乙銀行ニ損害ヲ蒙ラシメタリトスルモ被告会社ニ於テ之カ賠償ヲ為スヘキ限リニアラサルナリ。」（東京地判昭七・五・一八新報二九七・二八）。

【165】「原判示ノ文詞ニ依レハ上告会社カ被用者ノ選任及監督ニ付為スヘキ相当ノ注意ヲ怠リタルモノノ如クニ見ユレトモ、固ヨリ無形ノ法人カ直ニ其選任又ハ監督ヲ為シ能ハサルハ勿論法律上法人ノ行為ハ総テ其代表者ニ依リテ為サルヘキモノナルヲ以テ、原判旨ニハ取締役ナル文字ナキモ上告会社ノ取締役カ其選任又ハ監督ニ付キ為スヘキ相当ノ注意ヲ怠リタルニ因リ被上告人ニ損害ヲ生セシメタリトノ事実ヲ認定シタルニ在ルコトハ自カラ明瞭ナリトス。是レ即チ取締役ノ不法行為ニ因リ他人ニ加ヘタル損害ニ外ナラス。＜中略＞本案上告会社ノ取締役ノ不法行為ニ因リ他人ニ加ヘタル損害ニ付テモ亦該第四十四条第一項ノ準用ニ依リ法人タル上告会社カ其責ニ任スヘキハ勿論ナリトス。」（大判明三六・三・一四民抄録一六・三〇八五）（評釈、松本・法学志林七・二・一二）。

【166】「損害ヲ惹起シタル行為カ職務又ハ事業ノ執行ナリヤ否ヤハ、其職務又ハ事業ノ性質、其職務又ハ事業ト行為トノ関係、行為者ノ意思及其行為ヲ為シタル当時ノ事情ヲ参酌シテ決スヘキモノニシテ、単ニ行為者ノ意思ノミニ依リテ決スヘキモノニ非ス。蓋シ当院カ曩ニ民法第七百十五条第一項ノ事業ノ執行ニ関シ判示シタルカ如ク、被用者カ使用者ノ事業ノ執行トシテ何等為スヘキコトノ存在セサルニ拘ハラス単ニ自己ノ利益ノ為メニ不法行為ヲ為シタル如キ場合ニ在リテハ、縱令其行為ハ外形上事業ノ執行ト異ル事ナシトスルモ之ヲ以テ事業ノ執行ト云フヲ得サルモ、現ニ職務又ハ事業ノ執行トシテ為スヘキコトノ存在セル場合ニ、之

ヲ執行スヘキ法人ノ機関又ハ被用者ニ於テ自己又ハ他人ノ利益ヲ図ル目的ヲ以テ不法ニ之ヲ執行スルカ如キハ、職務又ハ事業ノ執行タルヘキコト疑ナケレハナリ。〈中略〉即チ甲ハ上告会社ノ取締役トシテ又乙ハ其被用者トシテ判示玄米ノ保管庫出等ヲ担当セルコト明ナレハ、同人等ニ於テ不法ニ之カ庫出ヲ為シ因テ被上告銀行ニ損害ヲ加ヘタル以上、其故意ニ出テタルト過失ニ出テタルトニ論ナク其損害ハ同人等ノ職務又ハ事業ノ執行ニ付キ生シタルモノト謂フヘク、従テ上告会社ハ甲ノ行為ニ付テハ商法第六十二条第二項〈現七八条二項〉第百七十条第二項〈現二六一条三項〉民法第四十四条第一項ニ依リ、乙ノ行為ニ付テハ民法第七百十五条第一項及前示法条ニ依リ之レカ損害賠償ノ責ニ任スヘキモノトス。」(大判大七・三・二七評論七民法二三九)。

【167】「運送及倉庫業ヲ営ムコトヲ目的トスル株式会社ニ在リテハ、物品ノ寄託又ハ運送ノ委託ヲ受ケ現品ヲ交付セラレタル場合ニ於テハ倉荷証券又ハ貨物引換証券ヲ発行スルハ其取締役ノ職務ニ属スルコト言ヲ俟タスト雖モ、所論甲運輸倉庫株式会社ノ常務取締役タル乙カ判示倉荷証券及ヒ貨物引換証券ヲ作成発行シタルハ、真実同会社カ物品ノ寄託又ハ運送ノ委託ヲ受ケ現物ヲ受取リタルニ非ス、且斯ル証券ヲ発行スヘキ何等ノ事情現存シタルモノニ非ラサルニ拘ハラス専ラ丙ニ対シ金融ヲ得セシムル目的ヲ以テ作為シタルニ過キサルコト明白ナレハ、則チ乙ハ同会社ノ取締役タル地位ヲ濫用シテ単ニ丙ノ利益ヲ図ル目的ヲ以テ擅ニ該証券ヲ偽造シタルモノニシテ、取締役タル職務範囲ニ属スル行為ニ関スルモノニ非ラサルカ故ニ、其ノ偽造証券ノ発行ハ全然同会社ノ業務ノ執行ト関係ナキ別個独立ノ行為ト謂ハサルヲ得ス。左レハ乙ハ真正ナル職務ノ執行ト形態ヲ同シクスル外観ノ下ニ前記証券ヲ偽造シ共犯タル丙カ之ヲ行使シタルニ因テ上告人等ニ対シ所論ノ如キ損害ヲ加ヘタルモ、之ヲ以テ其ノ職務ノ執行ニ付惹起シタル損害ナリトシ之カ賠償責任ヲ同会社ニ帰セシムヘキモノニ非ス。」(大判大一一・五・一一評論一一民法三一〇)。

【168】「商法第百七十条第六十二条〈現二六一条七八条〉ニ依リ株式会社ニ準用セラルル民法第四十四条ノ規定ニ依レハ、株式会社ハ取締役カ其職務ヲ行フニ付キ他人ニ加ヘタル損害ヲ賠償スル責ニ任スヘキモ

ノナレハ、株式会社タル被告銀行ハ其取締役タル甲カ本件仮株券ヲ偽造行使シタルニヨリ原告ニ蒙ラシメタル本訴損害ヲ賠償スルノ責アルモノト謂ハサルヲ得ス。蓋シ或事項カ取締役ノ職務ノ範囲ニ属スルヤ否ヤハ該事項ノ一般的性質ニ着眼シテ判定ス可キモノニ係リ、而カモ取締役カ所属会社ノ株券ヲ調整発行スルコトハ素ヨリ該事務ノ一般的性質トシテ取締役当然ノ職務執行ニ属スルコトハ法律ノ規定ニ照シ疑ナキ所ナレハ、偶々本訴株券ノ調整ノミニ付テ観察スレハ被告銀行ノ為メ適当ナル職務執行ニアラサリシハ勿論ナリト雖モ、猶前示法条ニ所謂職務ノ執行ニ付キ損害ヲ加ヘタルモノニ外ナラサルモノト謂フヲ相当トスレハナリ。」（東京地判大三・一〇・六評論三商法三三八）。

【169】「商法第百七十条第二項第六十二条〈二六一条三項七八条〉ニ依リ株式会社ニ準用アル民法第四十四条第一項ノ規定ハ、法人ハ其ノ理事カ職務ヲ行フニ付他人ニ加ヘタル損害ヲ賠償スルノ責ニ任スヘキ旨ヲ定メタルニ止リ、不法行為ヲ為シタル理事ニ於テ個人トシテ被害者ニ対シ均シク賠償ノ責ヲ負フモノナリヤ否ハ毫モ同規定ノ触ルルトコロニアラス。惟フニ何人ト雖現ニ他人ノ権利ヲ侵害シテ損害ヲ加ヘタル事実アラハ之ニ因リ当然ニ自己ノ不法行為成立スヘク、其ノ法人ノ理事トシテ職務ヲ行フニ付キ為サレタルカ為個人トシテ責ヲ免ルヘキ旨ノ規定存セサル以上、理事ハ一般ノ規定ニ従ヒ個人トシテ法人ト共ニ均シク損害賠償ノ責ヲ負フヘキモノト解スルヲ相当トス（明治三十九年(オ)第三百二号同年十月三日言渡当院判決参照）。然リ而シテ叙上ノ場合ニ於テ理事及法人ハ夫々損害額全部ニ付賠償スルノ責アルカ故ニ、各自ニ夫々全額ノ支払ヲ命スヘク、而シテ原判決ハ上告人ニ連帯負担ヲ命シタルニ非スシテ各自ニ全額負担ノ責アル旨ヲ判示シタルコト原判文上明ナレハ、原判決ニ所論ノ違法ナク論旨採ルニ足ラス。」（大判昭七・五・二七民集一一・一〇七九）（評釈、川島・判例民事法昭和七年度二八〇）。

【170】「被告甲は、被告会社の代表取締役社長でありながら、その業務執行については、被告会社の発足当時から会社業務一般の処理にたずさわつて明るい被告乙にこれを一任し、終始同被告のするがままに放任

して殆んど顧みるところがなかつた。＜中略＞。被告乙は前認定のとおり、被告会社において取締役として常務取締役または専務取締役と呼称されてはいるが、対外的に会社を代表し、対内的に業務を執行する代表取締役の権限を与えられていたものではなく、専ら代表取締役甲の指揮監督の下、その命をうけて他の職員を指揮する立場にあつたものにすぎないから、この面では被告会社の被用者であつたものというべく、被告会社の不法行為は、このような地位にあつた被告乙において会社が保管する原告所有の本件原油をかつてに会社のために売却処分した所為に外ならないこと明白であるから、ここに被告乙は、被告会社と並んで原告に対し不法行為の責を負わなければならないものであるという外ない。また、被告甲が被告会社の代表取締役であつたことは、当事者間に争いのないところであるから、同被告は、原告主張のとおり、民法七一五条二項にいう被告会社に代つてその事業を監督する者に該るといわなければならない。そうすると、特別の主張および立証がない限り被告甲は民法七一五条二項の規定によりいわゆる被告会社の代理監督者としてその被用者である被告乙が被告会社の事業の執行につき原告に加えた前記損害を同被告とともに賠償すべき責に任じなければならない。」（東京地判昭三二・一一・八 判時一三八・二四）。

【171】「本件ニ於テ、原院カ、上告会社ノ被用者タリシ甲カ会社ノ庶務課長トシテ株券発行ノ事務ヲ担当中其ノ保管ニ係ル株券用紙及会社ノ印顆ヲ利用シテ上告会社ノ株券ヲ偽造スルト同時ニ其ノ名義人ノ名義書換ノ委任状ヲ偽造シ、該株券及委任状ヲ被上告人ニ対スル定期米取引ニ関スル証拠金代用トシテ同人ニ交付シタル処、該定期取引ハ甲ノ損失ニ帰シ同人無資力ノ結果被上告人ハ右株券ヲ換価シ損失ニ充当セントシタルモ偽造株券ナリシカ為其ノ目的ヲ達スルコトヲ得ス、従テ被上告人ハ右真正株券ノ時価千六百五十円ニ相当スル損害ヲ被ムリタルコト、及右株券偽造ニ付テハ、上告会社及其ノ当時取締役タリシ上告人乙ノ先代丙ニ於テ被用者タリシ甲ノ選任監督ニ関シ注意ヲ怠リタル事実アルコトヲ認メ、上告人等ニ於テ前示被上告人ノ被ムリタル損害ヲ賠償スヘキ義務アリト判断シタルハ相当ナリ。」（大判昭三・七・九 民集七・六一五）。

（註）いわゆる「職務を行うにつき」の解釈に関し、「現ニ職務又ハ事業ノ執行トシテ為スヘキコトノ存在セル場合」においては、これを執行すべき会社の機関又は被用者が自己又は他人の利益をはかる目的をもつて不法に執行することは職務又は事業の執行にほかならず、したがつて、倉庫会社の一般業務を総括処理せる業務執行取締役と倉庫係として寄記物に関する業務を担当せる被用者が預り証を回収しないで寄託物を庫出し、その上に質権を有する者をして権利を実行しえないようにして損害をあたえた場合には、その損害は右取締役及び被用者の職務又は事業の執行につき生じたものとみとめられたが（大判大七・三・二七【166】）、同じく運送倉庫会社の常務取締役が、物品の寄託又は運送の委託を受けず現物を受領せず専ら他人に金融を得させる目的で偽造の倉庫証券及び貨物引換証を発行した場合には、たとい「真正ナル職務ノ執行ト形態ヲ同シクスル外観」のもとに当該証券が発行されても、「斯ル証券ヲ発行スヘキ何等ノ事情現存シタルモノニ非ラサル」かぎり、「職務を行うにつき」に該当しないとするのが大審院の判例である（大判大一一・五・一一【167】）。尤も、或る事項が職務に属するか否かはその事項の一般的性質に着目して判定すべきである、と解する判例も下級審にはみられる（東京地判大三・一〇・六【168】）（なお民法七一五条の「事業の執行につき」の解釈に関し、いわゆる行為外形説を採用した東京控判大五・三・二四評論五民法五五二、大判大一五・一〇・一三民集五・七九六参照）。なお、代表取締役が会社の債権を実行するため債務者に対して裁判上の請求をなすことはその職務の範囲内に属するから、貸金を請求する民事裁判上会社の債務者の挙げた反証を打破する目的で刑事上の私文書偽造行使の告訴をなすことも、いわゆる「職務を行うにつき」なされた行為に該当するとされる（大判大一・一〇・一六評論一民法五三五）。その他、小切手振出の一般的権限を有する取締役がその偽造により取引銀行に損害をあたえた場合（大判大三・一二・一七評論三商法三二三）、取締役社長として会社を代表して手形行為をなす権限ある取締役が、会社の配当資金に充当する目的で詐欺により第三者から手形割引を受けた場合（東京地判昭三・四・一三新聞二八三九・一五）などが見られる。右に反し、会社の営業の範囲内に属しない株式定期売買に名をかりて他人から金銭を詐取した場合（東京地判大一三・一二・二七評論一四商法三九）・代表取締役でない取締役が代表権ありと詐称して金銭を騙取し（東京地判昭九・一〇・二三【150】）又は代表取締役名義を冒用した手形行為をなして損害を蒙らしめた

場合（東京地判昭七・五・一八【164】）などは、右に該当しないとみとめられている。なお、会社被用者に対する選任・監督上の不注意のために他人に損害を生ぜしめた場合に、会社は民法四四条一項の規定にもとづいて賠償の責に任ずると解した判例が多いが（大判明三六・三・一四【165】、東京控判明治四二年（ネ）第五〇九号新聞六六一・一三、東京控判大五・三・二四評論五民法五五二（前出）、大阪地判大五・七・二七評論六民訴法三七二）、右の場合は民法七一五条により処理せられるべきである（前記【165】は、法律上法人の行為はすべてその代表機関によりなさるべきであるから、右の場合は機関の不法行為により他人に損害をあたえたものにほかならないとするが、この理論には疑問の余地がある）。

六　代表取締役の地位の独立性

（一）　株式会社の業務執行の権限は取締役の全体から成る機関としての取締役会に帰属し、取締役会はその権限を個々の取締役に委譲することができる。代表取締役ないし業務執行取締役の地位は取締役会のかかる権限の委譲に基礎をもち、その業務執行権限は取締役会に由来するものとみとめられるのであつて、その会社の機関たる地位は本来の業務執行機関たる取締役会の下における派生的機関と解しなければならない。取締役会は重要な業務の執行ないしその基本方針の決定を自己に留保しつつ、経常的業務の執行ないし重要な業務の細目の執行は代表取締役ないし業務執行取締役に委ねることができる。

ところで、取締役会が本来有している業務執行の権限のうち一定の事項は、法律上かならず取締役会の決議を要するものとされているが（株主総会の招集の決定・支配人の選任解任の決定・取締役と会社との間の取引の承認・取締役と会社との間の訴訟に関する会社代表者の選任・新株発行事項の決定・法定準備金の資本組入・株式分割・社債募集の決定）、定款又は取締役会の決議をもつてこれを拡張し、右の法定事項以外の一定の事項も必ず取締役会の決議によるべき旨を定めることができる。もとよりこれらの事項についても、その大綱の決定が取締役会においてなされれば足り、その細目についてまでも取締役会がみずから決議することを要するわけではなく、取締役会の定めた基本方針の範囲内における個々の具体的事項の決定及び実行は、これを代表取締役ないし業務執行取締役にまかせることができる。そこで、この取締役会の決議に瑕疵があったため無効となった場合に、その決議にもとづき代表取締役ないし業務執行取締役によってなされた行為にいかなる影響を及ぼすかが、重要な問題とならざるをえない。この点については、株主総会の招集及び新株の発行に関し、二、三の判決が見られる。

（二）　株主総会を招集するには取締役の過半数の決議があることを要する旨の規定（前商二三六）を欠いていた昭和一三年の改正法施行前の下級審の一判決（東京地判大一〇・一一・四【172】）は、会社の代表取締役が取締役の過半数の決議によらないで勝手に総会招集の通知を発した事案において、次のごとき理由のもとに総会決議無効の請求（旧商一六三I）を認容した。

【172】　「株式会社ノ代表取締役ハ外部ニ対シテハ会社ノ代表機関トシテ会社ノ営業ニ関スル一切ノ裁判上又ハ裁判外ノ行為ヲ為スノ権限ヲ有スルモ、会社ノ業務執行ニ付キテハ定款ニ別段ノ定メナキトキハ取締役ノ過半数ヲ以テ之ヲ決スヘキコトハ特ニ商法第一六九条〈前商二六〇条〉ノ明定スル所ナレハ、会社ヲ代表スル取締役ト雖モ定款ニ特別ノ定メナキ限リ業務執行ニ関シテハ当然ニ単独ニテ決定スルノ権限ヲ有セサルコト勿論ナリト謂フヘシ。而シテ株主総会ノ招集ノ如キハ会社内部ニ於ケル業務ノ執行ニ属スルコト明白ナル所ナルニ、成立ニ争ナキ甲第一号証被告会社ノ定款ニヨレハ此点ニ付キ何等特別ノ定メナキコト明カナルカ故ニ、其招集ニ付キテハ前示商法ノ規定ニ準拠シ取締役過半数ノ決スル所ニ従ハサルヘカラサルコト言ヲ

待タス。仍テ被告会社代表取締役甲カ他ノ取締役ニ謀ルコトナク単独ニテ其招集ノ通知ヲ発シタルハ法律ニ違反セルモノト認ムヘク、原告ノ主張ハ洵ニ正当ニシテ被告ノ抗弁ハ其理由ナシ。」（東京地判大一〇・一一・四評論一〇商法五三九）。

この判決を現行法にひきなおしていえば、取締役会の決議によらないで代表取締役が任意に総会招集の通知を発した場合には、その総会における決議は不存在なのではないが、しかし招集手続に瑕疵あるものとして取消の訴（商二四七）に服すると解したものといえる。また、株主総会は社長たる取締役が招集する旨の定款の規定に違反して他の取締役が招集した事案においても、昭和七年の大審院判例は、原審が招集権なき者の招集にかかる総会の決議としてその不存在をみとめたのに対して、結論的には現行法上いわゆる決議取消の訴に服するものと解している（大判昭七・一二・一七【173】同旨、長野地判昭四・一二・二六評論一九商法七七）。

【173】「商法第百六十五条〈現二五五条〉第百五十七条〈現二三四条〉第百五十九条〈現二三五条〉第百六十条第一項〈現二三七条一項〉第百七十四条第一項・第二百十三条・第二百六十二条ノ二第十号〈現四九八条一項一七号〉等ノ規定ニ依レハ、株式会社ノ取締役ハ三人以上タルコトヲ要シ、其ノ取締役ハ株主総会招集ノ重要ナル権限ト義務トヲ有スル本来ノ機関ナルカ故ニ、会社ノ定款ニ株主総会ハ取締役社長之ヲ招集スル旨ノ規定アル場合ニ他ノ取締役カ其ノ定款ノ規定ニ反シテ株主総会ヲ招集スルモ、夫ノ本来招集機関ナラサル者ノ為シタル場合ト同シク其ノ総会ノ決議ハ当然無効トナルニハ非スシテ、唯商法第百六十三条〈現二四七条〉ニ所謂総会招集ノ手続カ定款ニ反スル場合ニ該当シ、株主・取締役又ハ監査役ハ同条第一項ノ規定ニ依リ訴ヲ以テノミ其ノ決議ノ無効ヲ主張シ得ルモノト解スルヲ相当トス。」（大判昭七・一二・一七民集一一・二三五二評論二二商法一三二新聞三五二七・一六）（評釈、竹田・民商法雑誌四・七、石井・判例民事法昭和七年度六四四）。

かように旧法時代の判例においては、代表取締役が取締役の過半数の決議によらないで招集した総会の決議、または取締役社長が総会を招集する旨の定款の規定に違反して他の取締役が招集した総会の決議は、すくなくとも現行法にいわゆる決議取消の訴に服するものとみとめられていたのである。しかるに、最近現れた下級審の判決は、会社の定款に「取締役会の決議により会社を代表すべき取締役として社長一名、専務取締役及び常務取締役各若干名を選任する」、「社長は業務の遂行を統轄し、専務及び常務取締役は社長を補佐するとともに社長事故あるときはその順に従って社長の職務を代行する」旨の定めがあるにかかわらず、常務取締役が独断で且つ取締役会の決議にもとづかないで株主総会を招集した事案において、それは決議取消の原因とさえもならないとしている（東京地判昭二九・七・二【174】。同旨、東京地判昭三〇・六・一三【175】（東京地判昭二九・二・一九【176】においても取締役会決議の欠缺は問題にされていない。）。

【174】「同人〈当該常務取締役〉は申請外会社の代表取締役たる地位を有していたものというべく、而も共同代表の定のあることについては何等の主張もないので、同人は単独で右会社の代表権を有するものであるから、同人のなした本件株主総会の招集はその権限内の行為であり、たとえその代表権の行使について定款に社長たる代表取締役との間に順序を定める規定があって、右総会招集がこれに違反してなされたとしても、その招集は単なる内部の事務分配上の定に反してなされたものに過ぎず、その法律上の効果に影響を及ぼすものとはいえない。従って債務者〈当該常務取締役〉が本件総会の招集権限を有しないことを前提とし、本件総会決議が不存在であるとする債権者らの主張は採用し難い。〈中略〉。債権者らは本件総会の招集手続にはその招集を取締役会の決議に基かないでした瑕疵があると主張するけれども、株主総会の招集は取締役会がこれを決するものではあるが、その決定は一般の業務執行の場合と同様会社機関の内部の意思決定であるから、その内部の意思決定が欠け又はこれに瑕疵があっても有効な代表権に基いてなされた会社の行為の

法律上の効力に影響を及ぼさしめるべきではないので、前記のとおり代表権限を有する取締役たる債務者によってなされた本件総会の招集が、取締役会の決議に基かないからといって、これをその招集に係る総会決議の取消原因となし得ず、従って債権者らの右主張も採用の余地がない。」（東京地判昭二九・七・二下級民集五・七・一〇〇九）（判旨反対、野津・前掲一一〇九）。

【175】「この総会の招集について、取締役会の決議がなされなかったことは争がないところであるが、株主総会招集に関する取締役会決議は、会社機関内部の意思決定に過ぎないから、これが欠けていても、直ちに総会の招集手続に違法があるものとして、決議の取消原因となるものではない。」（東京地判昭三〇・六・一三判時五八・二三）。

【176】「被告会社においては、訴外甲が昭和二十七年十二月十八日代表取締役の資格において招集通知を発して招集した株主総会を昭和二十八年一月二十三日〈中略〉に開催したことを認めることができ、他にこれに反する証拠は存在しないから、本件総会は招集及び開催のないものと断定することができないものであると同時に招集時において招集の権限のない者によって招集されたものということができない。」（東京地判昭二九・二・一九下級民集五・二・一九三）。

これらの判決が株主総会の招集につき取締役会の決議を欠く場合においてもこれを決議取消の事由とみとめない理由の一つは、取締役会の決議が「会社機関の内部の意思決定」にすぎないことに求められている。もとより総会招集に関する取締役会の決議は取締役会なる業務執行機関の会社内部における決定行為たる性質を有するには違いないが、しかしその決議が総会招集の手続に属しないとすることはできない。総会招集の権限が取締役会に属し、その権限の行使が法定の手続を経て招集された会議の決議を経てなされることを要する以上、かかる決議を経ないで招集された株主総会はその招集手続が違法なものといわざるをえないのであって、この総会の決議は取消の訴に服することを免れないのである(商二四七)。上述の判決は、取締役会の決議が欠けていても、有効な代表権にもとづいてなされた会社の行為(総会の招集)の効力に影響を及ぼさしむべきではないとしているが、これは通常の取引行為と株主総会の招集とを混同した議論というほかない。尤も総会の招集につき取締役会の決議を要するといつても、取締役会は招集に関する大綱を決すれば足り、その具体的な執行は代表取締役にまかせることをうるから、代表取締役がその具体的な招集手続を行う場合には、たとい取締役会の決議が欠缺し又は瑕疵により無効となつても、その取締役は必ずしも総会招集につき全く無権限とはいいがたい。したがつて、かかる場合には、その総会の決議は招集権のない者の招集した総会の決議として不存在と解することはできないのであつて、招集手続に瑕疵があるものとして決議取消の訴に服するのである。代表取締役又は定款をもつて総会の招集権者とされている取締役は具体的な招集手続をなすことについての一般的な授権を得ているものと解すべきであり、したがつてかかる取締役が取締役会の決議を経ないで総会を招集しても、その総会の決議には単に招集手続に瑕疵あるものとして取消の訴に服するに止まるのである。これに反して、何らの授権をも受けていない取締役が任意に総会を招集した場合には、その総会は全く招集権のない者の招集した総会であり、その決議は不存在と解しなければならないことはいうまでもない。昭和三十年の東京高等裁判所の判決(東京高判昭三〇・七・一九【177】)はこのような意味において理解する限り結論的には正当である。

【177】「株主総会の招集は原則として取締役会がこれを決すべきものなることは商法第二百三十一条の明定するところである。そして本件において甲が臨時株主総会を招集するにつき取締役会の決議を経由した証

拠はない。しかしながら、取締役会の招集決議は、いわば取締役会という執行機関の内部における意思決定であつて、その決定に従い個々の取締役が行動することは業務執行の範囲に属するものといわなければならない。そして本件において、本件臨時株主総会の招集通知が昭和二十七年十二月十八日頃になされたものとすれば、当時は、甲は控訴会社の代表取締役であつたのであるから、たといその招集が取締役会の決議によらないものであつたとしても、これを以て善意の第三者（一般株主は第三者に準ぜられる。）に対抗することができない関係上、当然無効となることなく、決議取消の訴をまつてはじめてその効力が決せられるものというべきである。そして被控訴人が法定期間内にかゝる決議取消の訴を提起したことは被控訴人の毫も主張しないところであるから、この点に関する被控訴人の主張は理由がない。」（東京高判昭三〇・七・一九下級民集六・七・一四八八）（評釈、久保・一橋論叢三六・二七四）。

昭和三一年の東京高等裁判所判決は、新株の発行に関し、「改正法にあつては、新株の発行は、株式会社の組織に関することとはいえ、むしろこれを会社の業務執行に準ずるものとして取扱つているものと解するのが相当であり、従つていやしくも対外的に会社を代表する権限のある取締役が新株を発行した以上、右発行につき有効な取締役会の決議がないにしても、右決議の有無は会社内部の意思決定の問題にすぎず、新株の発行自体の効力には影響はなく、右新株の発行は有効なものと解するのが相当である」としている（東京高判昭三一・一一・一六【178】。同旨、大阪地判昭二八・六・一九【87】、結論的に同旨、東京地判昭三一・一二・二〇【179】）（同旨の学説、松田・前掲二〇五、松田・鈴木・前掲二八四。結論的に同旨、鈴木・前掲一三三、西原・二〇九）。

【178】 「昭和二五年法律一六七号によって改正せられた商法（株式会社法）はいわゆる授権資本制を採用し、会社成立後の新株発行を定款変更の一場合とせず、その発行権限を取締役会に委ねており、なお新株発生のためには発行決定株式総数の引受及び払込を必要とせず、払込期日までに引受及び払込のあつた部分だけで有効に新株の発行をなし得るものとしている（第二八〇条の九）のであつて、これらの点から考えると、

∧後略―本文中に引用∨。」（東京高判昭三一・一一・一六ジュリスト一二二・六七）。

【179】　「この取締役会の決議は会社内部の意思決定に過ぎないから、いやしくも、対外的に会社を代表する権限ある代表取締役が新株を発行した以上、この点につき有効な取締役会の決議のないことを理由に右新株発行を無効とすることは許されないものといわなければならない。けだし、株式申込人としては、通常新株発行が取締役会の有効な決議に基くものかどうかはこれを知る由もないから、右のような内部的なかしの故に新株が無効となるとすれば著しく取引の安全を害することとなるからである。」（東京地判昭三一・二・二〇判時七六・二四ジュリスト一〇三・五八）。

新株の発行は原則として取締役会の権限に属するのであつて（商二八〇ノ二I、二六〇、二三〇ノ二参照）、取締役会の決議をもつてその大綱を決定することを要し、ただその具体的な執行は代表取締役に授権されているのである。したがつて、右の取締役会の決議の欠缺ないし無効は新株発行手続を違法なものたらしめ、その無効の訴の原因となるものと解しなければならない（取締役会の新株発行決議の欠缺乃至無効をもつて新株発行の無効原因と解する学説は多い、大隅・前掲概説一八〇、大森・前掲一五二、大隅・大森・前掲三四〇、田中・吉永・山村・前掲五九五、野津・前掲一一〇五、西本・前掲七二）。しかるに、上述の判決（【178】【87】）は、取締役会の決議は会社内部の意思決定にすぎなく、いやしくも代表権ある取締役が新株を発行する以上、新株発行自体の効力には影響がないとするのであつて（松田・前掲二〇五、松田・鈴木・前掲二八四参照）、これによれば新株発行の権限はむしろ代表取締役にあり、取締役会の決議は単なるその拘束条件にすぎないこととならざるをえない。尤も新株発行のみについて見れば、判決の見解は特に株式の流通の保護なる政策的考慮に出たものともいえるが（【179】参照）（なお鈴木・前掲一三三、西原・前掲二〇九参照）、取締役会の決議なくして招集された株主総会の決議も完全に有効であるとする既述の判決（東京地判昭二九・七・二【174】、東京地判昭三〇・六・一三【175】、なお東京地判昭二九・二・一九【176】）も、右と同様の構成をとつていることを考え合わすならば、かならずしもそうとはいえないのである。

(三)　以上のように近時の判決は、すくなくとも代表取締役については、取締役会とは独立に業務執行の権限を固有するものとみとめる傾向にあるものといえる。しかし、立法論としてはともかく、現行法における取締役機関の構造としては、代表取締役ないし業務執行取締役は取締役会の派生的機関であり、その権限は取締役会に由来するものと解すべきであつて、これを取締役会の外部にあつて業務執行の権限を固有的に具える独立の機関となす構成は許されないものといわなければならないとおもう。

判例索引

大審院判例

最高裁判所判例

控訴院判例

高等裁判所判例

地方裁判所判例

区裁判所判例

行政裁判所判例

法務局決定

著 者 紹 介

大《おお》隅《すみ》健《けん》一《いち》郎《ろう》 京都大学教授

山《やま》口《ぐち》幸《こう》五《ご》郎《ろう》 甲南大学助教授

総合判例研究叢書 商 法 (4)

昭和 33 年 8 月 25 日 初版第 1 刷印刷
昭和 33 年 8 月 30 日 初版第 1 刷発行

著作者 大 隅 健 一 郎
山 口 幸 五 郎

発行者 江 草 四 郎

印刷者 浅 野 末 五 郎

東京都千代田区神田神保町 2ノ17
発行所 株式会社 有 斐 閣
電話 九段(33)0323・0344
振替口座東京 370 番

印刷・株式会社 有 光 社 製本・稲村製本所

総合判例研究叢書 商法(4)
(オンデマンド版)

2013年1月15日　発行

著　者　大隅　健一郎・山口　幸五郎
発行者　江草　貞治
発行所　株式会社 有斐閣
〒101-0051　東京都千代田区神田神保町2-17
TEL　03(3264)1314(編集)　03(3265)6811(営業)
URL　http://www.yuhikaku.co.jp/

印刷・製本　株式会社 デジタルパブリッシングサービス
URL　http://www.d-pub.co.jp/

AG485

ISBN4-641-91011-1　Printed in Japan